W9-BBZ-602

义务教育课程标准实验教科书

语文

YU WEN

四年级 下册

四年级＿＿班

姓名＿＿＿＿

绿色印刷 保护环境 爱护健康

亲爱的同学们：

你们手中的这本教科书采用绿色印刷标准印制，在它的封底印有"绿色印刷产品"标志。从2013年秋季学期起，北京地区出版并使用的义务教育阶段中小学教科书全部采用绿色印刷。

按照国家有关标准（HJ2503-2011），绿色印刷选用环保型纸张、油墨、胶水等原辅材料，生产过程注重节能减排，印刷产品符合人体健康要求。

让我们携起手来，支持绿色印刷，选择绿色印刷产品，共同关爱环境，一起健康成长！

北京市绿色印刷工程

义务教育课程标准实验教科书

语 文

四年级 下册

课 程 教 材 研 究 所
小学语文课程教材研究开发中心 编著

*

人民教育出版社 出版发行

网址：http://www.pep.com.cn

人民教育出版社 印刷厂印装 全国新华书店经销

*

开本：890 毫米×1 240 毫米 1/32 印张：6 字数：131 000
2004 年 9 月第 1 版 2014 年 3 月第 14 次印刷

ISBN 978－7－107－18116－0
G·11205 定价：7.05 元

如发现印、装质量问题，影响阅读，请与本社出版二科联系调换。
（联系地址：北京市海淀区中关村南大街 17 号院 1 号楼 邮编：100081）

学科编委会主任：韩绍祥　吕　达

本　册　主　编：崔　峦　蒯福棣

副　　主　　编：陈先云　孟令全

编　写　人　员：李云龙　王贺玲　陈先云　郑　宇

　　　　　　　　张立霞　崔　峦　蒯福棣　徐　轶

　　　　　　　　孟令全　张德平　周国华　王　林

　　　　　　　　蔡玉琴　刘　芬　周美桂　陆　云

　　　　　　　　袁晓峰　聂在富

插　图　作　者：杨荟铼　郜　欣　周　申　蒲惠华

　　　　　　　　王　巍等

责　任　编　辑：王贺玲　李云龙　陈先云

封　面　设　计：林荣桓

目 录

标 * 的是略读课文
标　 的是选读课文

第 一 组

　　祖国的千山万水是那么多姿多彩：那奔流不息的江河，那连绵(mián)起伏的丘陵，那直插蓝天的雪峰，那辽远广阔的草原……真是江山如画！阅读下面的课文，与作者一起做一次愉快的旅行，去欣赏祖国的大好河山，去体会作者对山山水水的热爱之情，并体会作者是怎样用优美词句表达情意的。

图·白雪石

1　古诗词三首

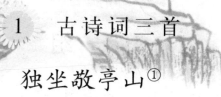

独坐敬亭山①

[唐] 李 白

众鸟高飞尽，
孤云独去闲②。
相看两不厌③，
只有敬亭山。

注释
①敬亭山：在今安徽(huī)省宣州市郊。
②闲：形容云彩飘来飘去悠(yōu)闲自在的样子。
③厌：满足。

望 洞 庭[①]

[唐] 刘禹锡

湖光秋月两相和[②]，
潭面[③]无风镜未磨。
遥望洞庭山水翠，
白银盘里一青螺[④]。

注释

①洞庭：湖名，在湖南省北部。
②和：和谐(xié)，这里指水色和月色融为一体。
③潭面：指湖面。
④青螺：这里用来形容洞庭湖中的君山。

忆江南①

[唐] 白居易

江南好，

风景旧曾谙②。

日出江花红胜火，

春来江水绿如蓝③。

能不忆江南？

注释

①忆江南：词牌名。原题下有词三首，这里是其中第一首。

②谙：熟悉。

③蓝：一种植物，叶蓝绿色，可提取青蓝色染料。

螺 谙

亭	庭	潭	螺	谙

📖 我能把这三首古诗词背下来,还能默写《独坐敬亭山》和《望洞庭》呢!

🎤 我能用自己的话说说诗句的意思,还想象出了一幅幅图画。

- 众鸟高飞尽,孤云独去闲。
- 遥望洞庭山水翠,白银盘里一青螺。
- 日出江花红胜火,春来江水绿如蓝。

选做题 我还会背别的描写山水风光的古诗词。

5

2 桂林山水

人们都说:"桂林山水甲天下。"我们乘着木船,荡漾在漓(lí)江上,来观赏桂林的山水。

我看见过波澜(lán)壮阔的大海,玩赏过水平如镜的西湖,却从没看见过漓江这样的水。漓江的水真静啊,静得让你感觉不到它在流动;漓江的水真清啊,清得可以看见江底的沙石;漓江的水真绿啊,绿得仿佛那是一块无瑕(xiá)的翡(fěi)翠。船桨激起的微波扩散出一道道水纹,才让你感觉到船在前进,岸在后移。

我攀登过峰峦(luán)雄伟的泰山,游览过红叶似[sì]火的香

本文作者陈淼,选作课文时有改动。

山，却从没看见过桂林这一带的山。桂林的山真奇啊，一座座拔地而起，各不相连，像老人，像巨象，像骆(luò)驼(tuó)，奇峰罗列，形态万千；桂林的山真秀啊，像翠绿的屏障，像新生的竹笋，色彩明丽，倒映水中；桂林的山真险啊，危峰兀(wù)立，怪石嶙(lín)峋(xún)，好像一不小心就会栽倒下来。

　　这样的山围绕着这样的水，这样的水倒映着这样的山，再加上空中云雾迷蒙，山间绿树红花，江上竹筏(fá)小舟，让你感到像是走进了连绵(mián)不断的画卷[juàn]，真是"舟行碧波上，人在画中游"。

把山和水联系起来观赏，景色更美了！

澜 瑕 翡 峦 骆 驼 兀 绵

| 澜 | 瑕 | 攀 | 峦 | 泰 |
| 骆 | 驼 | 罗 | 障 | 兀 | 绵 |

 课文写得真美！我要有感情地朗读，还要把课文背下来。

我们来认真读读课文最后一段，再联系上文，说说自己对桂林山水的感受。

我把课文第二自然段抄了下来，你抄了哪些？

阅读链接

浓 碧

是谁将百里漓江，
染成浓碧？
是谁在晶莹的水底，
铺下了片片芳草地，
轻软又柔和？

船行在绿玻璃上，
人影倒在绿玻璃下。
绿草在水底探起头来，
像是向水面上问：
你下来吗？

短文作者袁鹰。

3　记金华的双龙洞

4月14日，我在浙(zhè)江金华，游北山的双龙洞。

出金华城大约五公里到罗店，过了罗店就渐渐入山。公路盘曲而上。山上开满了映山红，无论花朵还是叶子，都比盆栽的杜鹃显得有精神。油桐也正开花，这儿一丛，那儿一簇，很不少。山上沙土呈(chéng)粉红色，在别处似乎没有见过。粉红色的山，各色的映山红，再加上或浓或淡的新绿，眼前一片明艳。

一路迎着溪流。随着山势，溪流时而宽，时而窄，时而缓，时而急，溪声也时时变换调子。入山大约五公里就来到双龙洞口，那溪流就是从洞里出来的。

在洞口抬头望，山相当高，突兀森郁，很有气势。洞口像桥洞似的，很宽。走进去，仿佛到了个大会堂，周围是石壁，头上是高高的石顶，在那里聚集一千或是八百人开个会，一定不觉得拥挤。泉水靠着洞口的右边往外流。这是外洞。

在外洞找泉水的来路，原来从靠左边的石壁下方的孔隙流出。虽说是孔隙，可也容得下一只小船进出。怎样小的小船呢？两个人并排仰卧，刚合适，

本文作者叶圣陶。

再没法容第三个人，是这样小的小船。船两头都系着绳子，管理处的工人先进内洞，在里边拉绳子，船就进去，在外洞的工人拉另一头的绳子，船就出来。我怀着好奇的心情独个儿仰卧在小船里，自以为从后脑到肩背，到臀(tún)部，到脚跟，没有一处不贴着船底了，才说一声"行了"，船就慢慢移动。眼前昏暗了，可是还能感觉左右和上方的山石似乎都在朝我挤

我能体会到这种感觉。

压过来。我又感觉要是把头稍(shāo)微抬起一点儿，准会撞破额(é)角，擦伤鼻子。大约行了二三丈的水程吧，就登陆了。这就到了内洞。

内洞一团漆黑，什么都看不见。工人提着汽油灯，也只能照见小小的一块地方，余外全是昏暗，不知道有多么宽广。工人高高举起汽油灯，逐一指点洞内的景物。首先当然是蜿(wān)蜒(yán)在洞顶的双龙，一条黄龙，一条青龙。

我知道为什么叫双龙洞了。

我顺着他的指点看，有点儿像。其次是些石钟乳和石笋，这是什么，那是什么，大都依据形状想象成神仙、动物以及宫室、器用，名目有四十多。这些石钟乳和石笋，形状变化多端，再加上颜色各异，即使不比做什么，也很值得观赏。

在洞里走了一转[zhuàn]，觉得内洞比外洞大得多，大概有十来进房子那么大。泉水靠着右边缓缓地流，声音轻轻的。上源在深黑的石洞里。

我排队等候，又仰卧在小船里，出了洞。

浙 臀 稍 额 蜿 蜒

| 浙 | 桐 | 簇 | 浓 | 臀 | 稍 |
| 额 | 擦 | 蜿 | 蜒 | 乳 | 据 | 源 |

📖 我要有感情地朗读课文，还要背诵自己喜欢的段落。

🎤 我们来说说作者的游览过程，再重点讲讲内洞的景象。

🎤 我们来读读下面的句子，说说从带点的部分体会到了什么，再抄下来。

● 随着山势，溪流时而宽，时而窄，时而缓，时而急，溪声也时时变换调子。

● 我又感觉要是把头稍微抬起一点儿，准会撞破额角，擦伤鼻子。

● 这些石钟乳和石笋，形状变化多端，再加上颜色各异，即使不比做什么，也很值得观赏。

江南的山水、溶(róng)洞真是奇妙无比，引人入胜。北国的天山又是一番怎样的景象呢？阅读课文，想想文中主要描写了哪些景物，它们有什么特点。如果有兴趣，还可以把自己喜欢的优美语句摘抄下来。

4* 七月的天山

七月的新疆，最理想的是骑马上天山。

进入天山，戈(gē)壁滩上的炎暑被远远地抛在后边，迎面送来的雪山寒气，会使你感到像秋天似的凉爽。蓝天衬着高耸的巨大的雪峰，太阳下，雪峰间的云影就像白缎(duàn)上绣了几朵银灰色的花。融化的雪水，从高悬的山涧(jiàn)、从峭壁断崖上飞泻(xiè)下来，像千百条闪耀的银链，在山脚下汇成冲激的溪流，浪花往上抛，形成千万朵盛开的白莲。每到水势缓慢的洄(huí)水涡(wō)，都有鱼儿在欢快地跳跃。这个时候，饮[yìn]马溪边，你骑在马上，可以俯(fǔ)视阳光透射到的清澈的水底，在五彩斑斓(lán)的溪水和石子之间，鱼群闪闪的鳞光映着雪水清流，给寂静的天山增添了无限(xiàn)生机。

本文作者碧野，选作课文时有改动。

再往里走，天山显得越来越美。沿着白皑(ái)皑群峰的雪线以下，是蜿蜒无尽的翠绿的原始森林，密密的塔松像撑(chēng)开的巨伞，重[chóng]重叠叠的枝丫(yā)，漏下斑斑点点细碎的日影。骑马穿行林中，只听见马蹄(tí)溅(jiàn)起漫流在岩石上的水声，使密林显得更加幽(yōu)静。

走进天山深处，山色逐渐变得柔嫩，山形也逐渐变得柔美。这里溪流缓慢，萦(yíng)绕着每一个山脚。在轻轻荡漾着的溪流的两岸，满是高过马头的野花，五彩缤(bīn)纷，像织不完的锦缎那么绵延(yán)，像天边的霞光那么耀眼，像高空的彩虹那么绚烂。马走在花海中，显得格外矫(jiǎo)健；人浮在花海上，显得格外精神。在马上你用不着离鞍(ān)，只要稍一伸手就可以捧到满怀心爱的鲜花。

虽然天山这时并不是春天，但是有哪一个春天的花园能比得过这时天山的无边繁花呢？

缎 涧 俯 皑 蹄 溅 延 鞍

词语盘点

洞庭　　江南　　玩赏　　无瑕　　扩散　　攀登
泰山　　骆驼　　屏障　　浙江　　油桐　　拥挤
孔隙　　仰卧　　臀部　　稍微　　额角　　擦伤
蜿蜒　　依据　　敬亭山　　波澜壮阔　　水平如镜
峰峦雄伟　　红叶似火　　拔地而起　　奇峰罗列
形态万千　　色彩明丽　　危峰兀立　　连绵不断
突兀森郁

读读记记

翡翠　　凉爽　　高耸　　山涧　　透射　　寂静
增添　　细碎　　马蹄　　柔嫩　　锦缎　　绵延
绚烂　　白皑皑　　重重叠叠　　斑斑点点

语文园地一

　　　　走，我们去春游

　　春天来了，小草纷纷探出头来，柳枝抽出点点嫩芽……面对这样的景色，我们会不约而同地说："走，我们去春游。"什么时候去春游，到哪儿春游，开展哪些活动，做哪些准备？这些要在出发之前计划好。先分组商量商量，再各组推举一名代表在班上交流，小组其他同学可以作补充发言。然后评一评哪个小组说得好，安排的春游活动有意义，想得细致、周到。最后全班同学制定一个春游方案。等到春游的时候，就按大家商定的方案去做。

习作

　　我们都爱自己的校园：它也许像一座美丽的花园，绿草如茵(yīn)，花团锦簇；它也许仅有几座平房，几棵老树，一个小操场。不管怎样，在可爱的校园里，我们都度过了许许多多欢乐的日子。让我们到校园里走一走，看一看，选一处景物，仔细观察一下，再把观察到的按一定的顺序写下来。注意把内容写具体，语句写通顺。

　　如果不想写校园里的景物，也可以写别处的景物，或者写写发生在校园里的难忘的事。

我的发现

◆ 漓江的水真静啊，静得让你感觉不到它在流动；漓江的水真清啊，清得可以看见江底的沙石；漓江的水真绿啊，绿得仿佛那是一块无瑕的翡翠。

小林：我发现作者用三个相同的句式描写了漓江水"静、清、绿"的特点。

小东：用相同的句式描写一个事物，在这组课文里还有一些呢！比如，《桂林山水》中描写桂林山的特点的句子；《七月的天山》里描写溪流两岸的野花的句子。

小林：我觉得这样写……

日积月累

● 大漠孤烟直，长河落日圆。 （王　维）

● 几行红叶树，无数夕阳山。 （王士禛）
zhēn

● 落木千山天远大，澄江一道月分明。 （黄庭坚）
chéng

● 浮天水送无穷树，带雨云埋一半山。 （辛弃疾）

● 春江潮水连海平，海上明月共潮生。 （张若虚）

华山

恒山

　　在我国的无数名山中，有五座山因为景色独特、富有文化内涵(hán)被称为五岳，它们是：东岳泰山、西岳华[huà]山、南岳衡山、北岳恒山、中岳嵩(sōng)山，其中东岳泰山为五岳之首。

　　在我国广阔的土地上，湖泊[pō]星罗棋布，其中洞庭湖、鄱(pó)阳湖、洪泽湖、太湖和巢湖被称为我国五大淡水湖。

　　我们可以搜集五岳或者五大淡水湖的有关资料，在图片、文字或声像世界里，游览祖国的山山水水，交流自己的感受。

嵩山

鄱阳湖

太湖

真诚是一种心灵的开放。
——〔法国〕拉罗什富科

第 二 组

　　当朋友向你敞开心扉(fēi)、说出自己的心里话的时候，你一定会为朋友的真诚而高兴；当你得到别人及时的帮助、顺利地克服困难的时候，你一定会为这个人的真诚而感动……一个人能够真诚地待人处事，总会得到大家的赞许和尊重。阅读本组课文，理解重点语句和段落，思考一下课文中讲述的这些故事，对我们做人处事有什么启示。

对人诚恳是不会失败的。
——〔中国〕毛泽东

君子坦荡荡，小人长戚戚。
——〔中国〕孔子

5　中彩那天

第二次世界大战前，我们家六口人全靠父亲一人工作维持生计，生活很拮(jié)据[jū]。母亲常安慰家里人："一个人只要活得诚实，有信用，就等于有了一大笔财富。"

父亲是汽车修理厂的技工，技术精湛，工作卖力，深得老板的器重。他梦寐(mèi)以求的是能有一辆属于自己的汽车。

一天放学回家，我看见城里最大的那家百货商店门前挤满了人。原来，一辆崭新的奔驰(chí)牌汽车将以抽奖的方式馈(kuì)赠给中奖者。

当商店的扩音器高声叫着我父亲的名字，表明这辆车已属于我家时，我简直不敢相信那是真的。不一会儿，我看见父亲开着车从拥挤的人群中缓缓驶过。只是，他神情严肃，看不出中彩带给他的喜悦。

我几次兴奋地想上车与父亲共享这幸福的时刻，都被他赶了下来。

我不明白父亲为什么中了彩还不高兴，闷闷不乐地回到家里，向母亲诉说刚才的情形。母亲安慰我说："不要烦恼，你父亲正面临着一个道德难

题。""难道我们中彩得到汽车是不道德的吗？"我迷惑(huò)不解地问。

"过来，孩子。"母亲温柔地把我叫到桌前。只见桌子上放着两张彩票存根，号码分别是05102和05103。中奖的那张号码是05102。

母亲让我仔细辨别两张彩票有什么不同。我看了又看，终于看到中彩的那张右上角有铅笔写的淡淡的K字。母亲告诉我："K字代表库伯，你父亲的同事。"原来，父亲买彩票时，帮库伯先生捎(shāo)了一张，并做了记号。过后，俩人都把这件事忘了。可以看出，那K字用橡皮擦过，留有淡淡的痕迹。"可是，库伯是有钱人，我们家穷啊！"我激动地说。话音刚落，我听到父亲进门的脚步声，接着听到他在拨电话号码，是打给库伯的。

第二天，库伯先生派人来，把奔驰汽车开走了。

那天吃晚饭时，我们全家围坐在一起，父亲显得特别高兴，给我们讲了许多有趣的事情。

成年以后，回忆往事，我对母亲的教诲有了深刻的体会。是呀，中彩那天父亲打电话的时候，是我家最富有的时刻。

> 为什么说这个时候是我家最富有的时刻呢？

拮 寐 驰 馈 惑 捎

| 维 | 财 | 属 | 货 | 驰 | 赠 | 驶 |
| 德 | 惑 | 码 | 库 | 捎 | 橡 | 拨 |

 这个故事很感人，我要有感情地多读几遍。

让我们联系上下文讨论讨论：父亲面临的道德难题指的是什么？他是怎样面对和处理这个难题的？

我们来联系实际，交流一下对"一个人只要活得诚实，有信用，就等于有了一大笔财富"这句话的体会。

 小练笔 我能想象库伯先生派人把汽车开走以后，"我们"全家人当时的表现，我要把想到的写下来。

父亲在道德难题面前，放弃了汽车，选择了诚信，做到了以诚待人。下面这篇课文，讲述了另一位父亲真诚地为[wéi]人、做事的故事。默读课文，想想课文围绕父亲做糖葫芦讲了哪几件事，从哪些地方可以看出父亲做事认真、实在。联系生活实际，和同学交流读后的体会。

6* 万 年 牢

我父亲是走街串巷(xiàng)卖糖葫芦的。他做的糖葫芦在天津(jīn)非常有名。

父亲的糖葫芦做得好，用的都是最好的材料。早晨起来，父亲去市上买来红果、海棠(táng)、山药、红小豆等，先把这些东西洗干净。红果、海棠去了把[bà]儿和尾，有一点儿掉皮损(sǔn)伤的都要挑出来，选出上好的在阳光下晾(liàng)晒。青丝、玫瑰也是要上等的。蘸糖葫芦必须用冰糖，绵白糖不行，蘸出来不亮。煮糖用铜锅，铁锅煮出的糖发黑。

小时候，我给父亲当帮手，把炉火闷[mēn]好，再把一块大理石板洗擦干净，擦上油备用。串糖葫芦的竹签(qiān)，由我一根根削[xiāo]好、洗净、晾干，然后一捆捆放在父亲手边。父亲把糖煮开，等能拉出丝来，火候就算到家了。父亲把锅端下来，放在备

本文作者新凤霞。

好的架子上。我在一边往父亲手里递串好的葫芦，父亲接过来在糖锅里滚蘸，蘸好了一手递给我，一手接过我递过去的没蘸的。我的节奏掌握得正好，一点儿不耽(dān)误，父亲很高兴。

父亲教我在石板上甩(shuǎi)出"糖风"来，那是在糖葫芦尖上薄薄的一片糖。过年的糖葫芦，要甩出长长的糖风。父亲甩的可漂亮了，好像聚宝盆上的光圈。父亲说："我的糖葫芦糖蘸得均匀，越薄越见功夫，吃一口让人叫好，蘸出的糖葫芦不怕冷不怕热不怕潮，这叫万年牢。"

父亲的认真劲儿，在卖糖葫芦的人当中出了

名，人称"小辫儿糖四"，因为清代父亲受过宫廷(tíng)里做糖货的师傅(fù)传授，一直留着辫子提篮叫卖糖葫芦。后来天津南市旧日租界的一家大字号，托人邀(yāo)请父亲去他们柜上做糖葫芦，每月有工钱，虽然不多，总比走街串巷强多了。

做大买卖的老板都有一套生意经，变着法儿多赚(zhuàn)钱。父亲对老板定价太高心里不满意，对老板的行为也看不下去。他还像过去那样认真选料，一点儿不马虎。老板嫌(xián)他扔得太多，让他少扔点儿、掺(chān)点儿假，他不听。老板给他派的下手，他也不满意，嫌那个下手不熟练，动作太慢。他常说："还不如我闺(guī)女呢，太慢了！"干了不到一年，父亲就辞去了这份工作，仍然提篮叫卖。自己吃苦不怕，他说，凭着良心做买卖才是正路，不能做亏心买卖。"公平买卖走正道，顾客点头说声好，回头再来这是宝，做生意讲实在是万年牢。"

父亲教导我做万年牢，就是要做个可靠的人，实实在在的人。无论做什么事都要讲究认真，讲究实在。父亲的教导使我一生受益。

课文中三处提到了"万年牢"，这中间有什么联系呢？

巷 津 损 晾 签 耽 甩 赚

7 尊 严

一个寒冷的冬天，南加州沃(wò)尔逊(xùn)小镇上来了一群逃难[nàn]的人。他们面呈(chéng)菜色，疲惫(bèi)不堪(kān)。善良而朴实的沃尔逊人，家家烧火做饭，款待他们。这些逃难的人，显然很久没有吃到这么好的食物了，他们连一句感谢的话也顾不上说，就狼吞虎咽地吃起来。

只有一个人例外，这是一个脸色苍白、骨瘦如柴的年轻人。当镇长杰(jié)克逊大叔将食物送到他面前时，他仰起头，问："先生，吃您这么多东西，您有什么活儿需要我做吗？"杰克逊大叔心想，给逃难的人一顿饭吃，每个善良的人都会这么做。于是他回答："不，我没有什么活儿需要您做。"

这个年轻人的目光顿时灰暗了，他的喉结上下动了动，说："先生，那我不能吃您的东西，我不能不劳动，就得到这些食物！"杰克逊大叔想了想，说："我想起来了，我家确实有一些活儿需要您帮忙。不过，等您吃过饭，我再给您派活儿。"

"不，我现在就做，等做完了您的活儿，我再

本文作者李雪峰，选作课文时有改动。

吃这些东西！"
年轻人站起来
说。杰克逊大
叔十分赞赏地
望着这位年轻
人，他知道如
果不让他干活
儿，他是不会
吃东西的。思
量片刻后，杰
克逊大叔说：
"小伙子，您愿
意为我捶(chuí)
捶背吗？"说着

就蹲在这个年轻人跟前。年轻人也蹲下来，轻轻地
给杰克逊大叔捶背。

　　捶了几分钟，杰克逊大叔感到十分惬意。他站
起来，说："好了，小伙子，您捶得好极了，刚才我
的腰还很僵硬，现在舒服极了。"说着将食物递给了
这个年轻人。年轻人立刻狼吞虎咽地吃起来。杰克
逊大叔微笑地注视着这个年轻人，说："小伙子，我

的庄园需要人手,如果您愿意留下来的话,我太高兴了。"

> 我知道杰克逊大叔为什么要留下这个年轻人。

年轻人留了下来,很快成了杰克逊大叔庄园里的一把好手。过了两年,杰克逊大叔把自己的女儿许配给他。杰克逊大叔对女儿说:"别看他现在什么都没有,可他百分之百是个富翁,因为他有尊严!"

二十多年后,这个年轻人果然取得了巨大的成功。他就是石油大王哈默。

沃 呈 惫 堪 杰 捶

| 尊 | 沃 | 呈 | 惫 | 堪 | 善 | 款 |
| 例 | 瘦 | 杰 | 喉 | 捶 | 僵 | 配 |

这个故事让我很受启发,我要多读几遍。

我们来讨论讨论:课文的题目为什么叫做"尊严"?从年轻人哈默和杰克逊大叔身上,我们学到了什么?

让我们找出描写年轻人外貌、动作和语言的句子,体会体会,再抄下来。

哈默用自己的言行维护了个人的尊严，同时赢得了别人的尊重。下面这篇课文中的母亲，又是怎样对待别人的呢？默读课文，想想课文中的哪些地方使你感动，并结合生活实际，与同学交流对最后一个自然段的理解。

8* 将心比心

　　奶奶给我讲过这样一件事：有一次她去商店，走在她前面的一位阿姨推开沉重的大门，一直等到她跟上来才松开手。当奶奶向她道谢的时候，那位阿姨轻轻地说："我的妈妈和您的年龄差不多，我希望她遇到这种时候，也有人为她开门。"听了这件事，我的心温暖了许久。

　　一天，我陪患病的母亲去医院输液，年轻的护士为母亲扎[zhā]了两针也没有扎进血管里，眼见针眼处鼓起青包。我正要抱怨几句，一抬头看见了母亲平静的眼神——她正在注视着护士额头上密密的汗珠，我不禁收住了涌到嘴边的话。只见母亲轻轻

　　本文作者姜桂华，选作课文时有改动。

地对护士说："不要紧，再来一次！"第三针果然成功了。那位护士终于长出了一口气，她连声说："阿姨，真对不起。我是来实习的，这是我第一次给病人扎针，太紧张了。要不是您的鼓励，我真不敢给您扎了。"母亲用另一只手拉着我，平静地对护士说："这是我的女儿，和你差不多大小，正在医科大学读书，她也将面对自己的第一个患者。我真希望她第一次扎针的时候，也能得到患者的宽容和鼓励。"听了母亲的话，我的心里充满了温暖与幸福。

　　是啊，如果我们在生活中能将心比心，就会对老人生出一份尊重，对孩子增加一份关爱，就会使人与人之间多一些宽容和理解。

词语盘点

读读写写

维持　财富　精湛　器重　属于　百货
情形　道德　号码　橡皮　尊严　逃难
善良　朴实　款待　例外　喉结　赞赏
捶背　僵硬　许配　拨电话　缓缓驶过
闷闷不乐　迷惑不解　面呈菜色　疲惫不堪
狼吞虎咽　骨瘦如柴

读读记记

拮据　奔驰　馈赠　天津　损伤　晾晒
竹签　火候　耽误　赚钱　熟练　教导
讲究　受益　沉重　道谢　眼神　抱怨
鼓励　宽容　梦寐以求　走街串巷　将心比心

语文园地二

以诚待人

在日常生活中，我们常常会碰到这样一些情况：在家的时候，别人有事找父母亲，父母亲不在家；班里的一个同学病了，好多天不能来学校上课；校园里，有同学随地吐痰(tán)或乱扔纸屑(xiè)……想一想，如果你遇到这样的事情会怎样对待，再结合生活中的一些真实的事例讨论讨论：我们怎样真诚地对待每一个人、每一件事？先分小组讨论，然后全班交流，最后全班就如何做到以诚待人，提出几条好的建议。

习作

在自己成长的过程中，你是不是有很多心里话想说，却没有机会说出来？这一次，就让我们在自己的习作中一吐为快吧！例如，对老师说，为了我们的成长，您操碎了心；对妈妈说，我已经长大了，别再把我当小孩看；对邻居叔叔说，谢谢您多年来对我们家真诚的帮助；对小伙伴说，我们不要再互相起外号了，这样不文明……总之，敞开心扉(fēi)，把自己最想说的心里话，在习作里向对方说一说。说心里话，就一定要真实，要说出内心的想法。写完以后可以读给对方听，再根据别人的意见改一改。

我的发现

小林：小东，你每次习作都写得不错，有什么好方法吗？

小东：根据我的经验，平时多动笔对提高习作水平很有好处。

小林：还有呢？

小东：留心观察也很重要。平时，我比较注意留心观察周围的事物，还随时把观察到的写下来。

小林：看来，你已经养成留心观察、勤动笔的习惯了。

小东：我还体会到，平时多看课外书对习作也很有帮助……

日积月累

● 言必信，行必果。 　　　　《论语·子路》

● 与朋友交，言而有信。 　　《论语·学而》

● 己所不欲，勿(wù)施于人。《论语·颜渊(yuān)》

● 精诚所加，金石为开。

　　　　　　　《后汉书·广陵思王荆传》

● 爱人者，人恒爱之；敬人者，人恒敬之。

　　　　　　　　　《孟子·离娄(lóu)下》

● 老吾老，以及人之老；幼吾幼，以及人之幼。

　　　　　　　　　《孟子·梁惠(huì)王上》

趣味语文　　　　说"信"

确实地相信叫确信。

非常地相信叫深信。

坚决地相信叫坚信。

忠实地信仰叫笃(dǔ)信。

对自己怀有信心叫自信。

履(lǚ)行自己的诺(nuò)言叫守信。

取得别人的信任叫取信。

讲究诚实和信用叫诚信。

第 三 组

　　大自然是人类的老师，给了我们许多有益的启示：它告诉人们，过度地砍伐树木，会破坏人类生存的环境，最终要受到大自然的惩罚；鱼儿在水中自由沉浮，人们由此受到启发，发明了潜水艇(tǐng)。让我们来阅读本组课文，抓住文章的主要内容，了解大自然给人类的启示，并围绕"大自然的启示"，开展一次综合性学习，做到对大自然有新的发现，在语文学习上有新的收获。

9　自然之道

　　我和七个同伴及一个生物学家向导，结队来到南太平洋加拉巴哥岛旅游。在这个海岛上，有许多太平洋绿龟在筑巢孵化小龟。我们的目的，就是想实地观察一下幼(yòu)龟是怎样离巢进入大海的。

　　太平洋绿龟长大后体重在一百五十公斤左右，幼龟体重不到它的百分之一。幼龟一般在四五月份离巢而出，争先恐后爬向大海。从龟巢到大海需要经过一段不短的沙滩，稍不留心，幼龟便可能成为食肉鸟的美食。

　　那天我们上岛时，已近黄昏，很快就发现一个大龟巢。突然，一只幼龟把头探出巢穴，却欲出又止，似乎在侦(zhēn)察外面是否安全。正当幼龟踌(chóu)躇(chú)不前时，一只嘲(cháo)鸫(dōng)突然飞来，它用尖嘴啄幼龟的头，企图把它拉到沙滩上去。

　　我和同伴紧张地看着眼前的一幕，其中一位焦急地对向导说："你得想想办法啊！"向导却若无其事地答道："叼就叼去吧，自然之道，就是这样的。"

向导为什么这样说呢？

向导的冷淡，招来了同伴们一片"不能见死不救"

本文作者是美国的伯罗蒙塞尔，选作课文时有改动。

的呼喊。向导极不情愿地抱起那只小龟，朝大海走去。那只嘲鸫眼见到手的美食丢掉，只好颓(tuí)丧地飞走了。

然而，接着发生的事情让大家极为震惊。向导抱走幼龟不久，成群的幼龟从巢口鱼贯而出。我们很快明白：我们干了一件愚(yú)不可及的蠢(chǔn)事。那只先出来的幼龟，原来是龟群的"侦察兵"，一旦遇到危险，便会返回龟巢。那只幼龟被向导引向大海，巢中的幼龟得到错误信息，以为外面很安全，于是争先恐后地结伴而出。

黄昏的海岛，阳光仍很明媚。从龟巢到海边的一大段沙滩，无遮无拦，成百上千的幼龟结队而出，

很快引来许多食肉鸟，它们可以饱餐一顿了。

"天哪！"我听见同伴说，"看我们做了些什么！"这时，数十只幼龟已成了嘲鸫、海鸥、鲣(jiān)鸟的口中之食。我们的向导赶紧摘下棒球帽，迅速抓起十多只幼龟，放进帽中，向海边奔去。我们也学着他的样子，气喘吁(xū)吁地来回奔跑，算是对自己过错的一种补救吧。

不一会儿，数十只食肉鸟吃得饱饱的，发出的欢乐叫声，响彻(chè)云霄。我和同伴们低着头，在沙滩上慢慢地走。向导一边走一边发出悲叹："如果不是我们，这些海龟就不会受到那样的伤害。"

| 幼 | 侦 | 嘲 | 愚 | 蠢 | 吁 | 彻 |

| 幼 | 滩 | 侦 | 嘲 | 啄 | 企 | 愚 |
| 蠢 | 返 | 拦 | 鸥 | 帽 | 吁 | 彻 |

📖 这个故事使我很受启发，我要好好读一读。

🎤 我想把自己读了这篇课文的体会和大家交流交流。

🖊 我能说出用上带点词语好在哪里，并把这几个句子抄下来。

⚫ 向导极不情愿地抱起那只小龟，朝大海走去。那只嘲鸫眼见到手的美食丢掉，只好颓丧地飞走了。

⚫ 向导一边走一边发出悲叹："如果不是我们，这些海龟就不会受到那样的伤害。"

综合性学习

在这次综合性学习中，我们可以走进大自然，去观察动物、植物的生长或其他自然现象，看看能有什么发现，受到什么启发；也可以去搜集资料或调查访问，了解人类从大自然中受到过哪些启发，有什么发明创造；还可以自己动动手，做做实验或搞搞小发明。活动之前，先分小组商量一下，准备怎样开展这次活动，然后分头行动。

《自然之道》让我们懂得，如果不按照自然规律办事，往往会产生与我们的愿望相反的结果。下面的课文又给我们怎样的启示呢？默读课文，说说黄河发生了哪些变化，引起这些变化的原因是什么。如果有条件，可以搜集有关黄河的资料，为治理黄河出出主意。

10* 黄河是怎样变化的

人们都说，黄河是中华民族的摇篮。可是一查黄河近2000年来的"表现"，却叫人大吃一惊。黄河在近2000年间竟决口1500多次，改道26次，给两岸人民带来了深重的苦难。

人们不禁要问：像这样一条多灾多难的祸(huò)河，怎么能成为中华民族的"摇篮"呢？

说来有趣，在数千年到数万年前，黄土高原乃(nǎi)至黄河流域，自然条件是很好的，可与今日的江淮(huái)流域媲(pì)美。那时候，黄河流域气候温暖，森林茂密，土地肥沃，尤其是下游一带自然条件更好。因此，我们的祖先才选择这里生息繁衍(yǎn)。

可是，后来黄河变了，它开始变得凶猛暴烈起来，折[zhē]腾得两岸百姓叫苦不迭(dié)。黄河成了中华民族的忧患。

黄河是世界上含沙量最大的大河，其含沙量相当于长江的68倍。黄河每年从中上游带到下游的泥沙总重量达16亿吨，其中12亿吨被搬到了大海，4亿吨则沉积在下游河道中。问题就出在这4亿吨泥沙上。它使黄河的河床逐年升高，结果有的河段高出两岸农田3米～4米，有的甚至高出10米以上，使黄河成了悬河。每到洪水季节，黄河这些地段的堤坝很容易决口，造成可怕的大水灾。

　　据科学家研究，黄河发生变化有两方面的原因。一是自秦朝以后，黄土高原气温转寒，暴雨集中。加上黄土本身结构松散，很容易受侵(qīn)蚀(shí)而崩塌，助长了水土流失，使大量泥沙进入黄河。二是人口迅速增长，无限(xiàn)制地开垦(kěn)放牧，使森林毁灭，草原破坏，绿色的植被遭到严重破坏，黄土高原失去天然的保护层，引起了严重的水土流失。每年，黄河流域每平方公里就有4000吨宝贵的土壤(rǎng)被侵蚀掉，相当于一年破坏耕地550万亩(mǔ)！更严重的是，水土流失使土壤的肥力显著下降，造成农作物大量减产。越是减产，人们就越要多开垦荒地；越多垦荒，水土流失就越严重。这样越垦越穷，越穷越垦，黄河中的泥沙也就越来越多，因而黄河决口、改道的次数也就越来越频(pín)繁。

　　把黄河治理好，关键(jiàn)是要把泥沙管住，不能让它随心所欲地流进黄河。新中国成立后，科学家已经为治理黄河设计了方案。他们认为黄土高原地区应坚持牧、林为主的经营(yíng)方向。一定要保护好森林资源，使失去的植被尽快恢复。要使人人都明白这样一个道理：破坏森林是不折不扣(kòu)的自杀行为；要合理规划利用土地，同时还要大量修筑水利工程。这样数管齐下，一定能防止水土流失，黄河变好的梦想一定能成为现实。

祸 乃 侵 蚀 垦 亩 营 扣

资料袋

1998年初，中国科学院和中国工程院的163位院士，联名向海内外炎黄子孙发出郑重呼吁[yù]：行动起来，拯(zhěng)救黄河！从1999年开始，中国青少年发展基金会等单位也发起了"保护母亲河行动"，动员广大青少年和其他社会力量，在黄河、长江等江河流域植树造林，保护那里的环境，保护我们的母亲河。中国青少年发展基金会，还专门设立了"保护母亲河——绿色希望工程基金"。国内外的团体和个人都可以捐(juān)款，来参与"保护母亲河行动"。

11 蝙(biān)蝠(fú)和雷达

清朗的夜空出现两个亮点，越来越近，才看清楚是一红一绿的两盏灯。接着传来了隆隆声，这是一架飞机在夜航。

在漆黑的夜里，飞机怎么能安全飞行呢？原来是人们从蝙蝠身上得到了启示。

蝙蝠是在夜里飞行的，还能捕捉飞蛾(é)和蚊子；而且无论怎么飞，从来没见过它跟什么东西相撞，即使一根极细的电线，它也能灵巧地避开。难道它的眼睛特别敏锐，能在漆黑的夜里看清楚所有的东西吗？

为了弄清楚这个问题，一百多年前，科学家做了一次试验。在一间屋子里横七竖八地拉了许多绳子，绳子上系着许多铃铛(dāng)。他们把蝙蝠的眼睛蒙上，让它在屋子里飞。蝙蝠飞了几个钟头，铃铛一个也没响，那么多的绳子，它一根也没碰着。

科学家又做了两次试验：一次把蝙蝠的耳朵塞(sāi)上，一次把蝙蝠的嘴封住，让它在屋子里飞。蝙蝠就像没头苍蝇似的到处乱撞，挂在绳子上的铃铛响个不停。

三次不同的试验证明，蝙蝠夜里飞行，靠的不

是眼睛，它是用嘴和耳朵配
合起来探路的。

是怎么配合的呢？

　　科学家经过反复研究，终于揭(jiē)开了蝙蝠能在夜里飞行的秘密。它一边飞，一边从嘴里发出一种声音。这种声音叫做超声波，人的耳朵是听不见的，蝙蝠的耳朵却能听见。超声波像波浪一样向前推进，遇到障碍(ài)物就反射回来，传到蝙蝠的耳朵里，蝙蝠就立刻改变飞行的方向。

　　科学家模仿蝙蝠探路的方法，给飞机装上了雷达。雷达通过天线发出无线电波，无线电波遇到障碍物就反射回来，显示在荧(yíng)光屏上。驾驶员从雷达的荧光屏上，能够看清楚前方有没有障碍物，所以飞机在夜里飞行也十分安全。

我也要从动物身上得到启示，设计一个小发明。

蝙 蝠 蛾 铛 揭 碍 荧

蝙	蝠	捕	蛾	蚊	避
锐	铛	蝇	揭	碍	荧

📖 这篇课文真有意思，我要多读几遍。

🎤 我们来讨论讨论：科学家是怎样从蝙蝠身上得到启示，发明雷达的？

🖊 让我们根据课文内容完成下面的填空，再读一读。

● 雷达的天线就像是蝙蝠的（ 　　　　　　 ）。

● 雷达发出的无线电波就像蝙蝠（ 　　　　　　 ）。

● 雷达的荧光屏就像是蝙蝠的（ 　　　　　　 ）。

资料袋

　　自然界中生物的奇特本领，常常引起人们的浓厚兴趣。比如，青蛙的眼睛非常奇怪，它们看活动的东西很敏锐，可是对静止的东西却"视而不见"，人们从青蛙的眼睛得到启示，发明了"电子蛙眼"。机场的指挥人员在"电子蛙眼"的帮助下，能更加准确地指挥飞机的降落。人们研究生物某些器官的构造和功能，从中得到启示并进行模仿，研制成功新的仪(yí)器、机械(xiè)，于是产生了一门科学，就是仿生学。

科学家们探究蝙蝠飞行的秘密，从中得到启示，发明了雷达。可以说，蝙蝠是人类的"老师"。其实，自然界中可以充当人类"老师"的还有很多。默读下面这篇课文，说一说其中的每篇短文主要讲了什么，你从中受到哪些启发。画出自己感受深的语句，如果有兴趣，还可以把它们抄下来。

12*　大自然的启示

"打扫"森林

　　从前，德国有个林务官，刚上任，就下了一道命令：把森林"打扫"干净。

　　护林工人只好照着他的命令去做，把灌木统统砍光，把杂草统统除尽，连地上的枯枝烂叶也不放过。森林面貌顿时改观了：林子里又宽敞又洁净，连一根杂草也没有。林务官看着，心里美滋滋的。

　　不想森林却从此遭了殃(yāng)。几年过去了，橡树和菩(pú)提树的叶子越来越少，光秃秃的像一把把扫[sào]帚(zhǒu)，有些树木甚至干枯了。

　　这究竟是怎么回事呢？是林务官异想天开的命令给森林带来了灾难。

原来，大自然中的一切事物都是互相联系的。这样，才能保持大自然的生态平衡。枯枝败叶，看起来是脏东西，其实，它们腐(fǔ)烂之后，变成了腐殖质，能增强土壤(rǎng)的肥力。它们还是一些小动物的食物和隐蔽场所。矮树丛也是许多动物栖息的地方。森林里的灌木和野草多了，昆虫、鸟类、兽类也就多了。许多动物以植物为食，像甲虫和毛毛虫吃树叶、嫩枝，而鸟儿在矮树丛里营巢，捕食森林里的害虫。

　　林务官把灌木丛砍了，把野草锄了，鸟儿飞走了，森林里的害虫就逞(chěng)凶啦。它们大量繁殖，成群地向树木进攻，吃树叶，咬树根，钻树心。没有天敌来制服害虫，树林就渐渐给毁了。

人类的老师

　　人类自古就想能像鸟儿一样飞上蓝天。科学家认真研究了鸟类飞行的原理，终于在1903年发明了飞机。二三十年以后，由于飞行速度不断提高，经常发生机翼(yì)因剧烈抖动而破碎的现象，造成机毁人亡的惨祸。过了许多年，人类才找到了防止这类事故的方法。其实蜻蜓早就解决了这个问题。每只蜻蜓的翅膀末端，都有一块比周围略(lüè)重一些的厚斑点，这就是防止翅膀颤动的关键(jiàn)。早知道这一点，科学家可以少花多少精力啊！现在，飞机设计师注意研究苍蝇、蚊子、蜜蜂等飞行的情形，研制出了具有各种优良性能的飞机。

　　从前，在大海中航行的轮船，虽然船头是尖尖的，但总是开不快。而有圆圆的大头的鲸(jīng)，却常常轻而易举地超过海轮。这是什么原因呢？科学家仔细研究了鲸，发现它的外形是一种极为理想的"流线型"，而"流线型"在水中受到的阻力是最小的。后来工程师设计船体时模仿鲸的形体，大大提高了轮船航行的速度。

　　科学家从蜻蜓、鲸等动物身上得到启示，有所发明，有所创造。生物真是人类的好老师啊！

殃帚腐壤翼略键鲸

词语盘点

读读写写

旅游　　幼龟　　沙滩　　侦察　　企图　　情愿
蠢事　　返回　　海鸥　　补救　　蝙蝠　　清朗
捕捉　　飞蛾　　蚊子　　避开　　敏锐　　铃铛
苍蝇　　揭开　　推进　　障碍物　　荧光屏
争先恐后　　若无其事　　见死不救　　鱼贯而出
愚不可及　　气喘吁吁　　响彻云霄　　横七竖八

读读记记

筑巢　　摇篮　　乃至　　肥沃　　折腾　　忧患
堤坝　　侵蚀　　崩塌　　毁灭　　植被　　经营
扫帚　　腐烂　　土壤　　栖息　　捕食　　繁殖
制服　　机翼　　惨祸　　关键　　欲出又止
多灾多难　　随心所欲　　不折不扣　　枯枝烂叶
异想天开　　机毁人亡　　轻而易举

语文园地三

在这次综合性学习中，我们对大自然给人类的启示有了更多的了解，收获一定很多。我们来开一次学习成果汇报会，可以介绍搜集到的有关大自然启示的资料，也可以谈谈自己了解到的发明创造的事例，还可以谈谈自己从动植物身上得到哪些启发，想发明什么。

先分成小组交流，再派代表在班上汇报。在汇报中，听的人有不明白的地方可以向别人请教。交流之后，把自己在综合性学习中的发现写下来，也可以把活动经过或心得写下来。写完后，同学之间互相修改。

我的发现

● 科学家经过反复研究，揭开了蝙蝠能在夜里飞行的秘密。

● 科学家经过反复研究，终于揭开了蝙蝠能在夜里飞行的秘密。

● 如果不是我们，这些海龟就不会受到伤害。

● 如果不是我们，这些海龟就不会受到那样的伤害。

● 令人难以相信的是，它们之中有的能够朝夕与共，和睦相处。

● 令人难以相信的是，它们之中有的居然能够朝夕与共，和睦相处。

> 用上带点的词语，句子的意思就……

日积月累

清明前后，种瓜点豆。

朝霞不出门，晚霞行千里。

天上鱼鳞斑，晒谷不用翻。

鸡迟宿，鸭欢叫，风雨不久到。

蚂蚁搬家蛇过道，明日必有大雨到。

春雾风，夏雾晴，秋雾阴，冬雾雪。

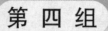

第四组

　　你知道过去战争中的孩子是怎样生活的吗？你知道现在有一些地区的孩子，又是怎样面对还不太平的世界？让我们一起学习这组课文，去了解战争给孩子带来的苦难，聆(líng)听他们对和平的呼唤。我们还要通过听广播、看电视、读书看报，关注世界上发生的大事，更多地了解战争中孩子的生活。并想一想：我们能为世界和平做点什么。

13　夜莺的歌声

　　战斗刚刚结束，一小队德国兵进了村庄。大道两旁全是黑色的碎瓦。空旷的花园里，烧焦的树垂头丧气地弯着腰。

　　夜莺的歌声打破了夏日的沉寂。这歌声停了一会儿，接着又用一股新的劲头唱起来。

　　士兵们和军官注意听着，开始注视周围的灌木丛和挂在道旁的白桦树枝。他们发现就在很近很近的地方，有个孩子坐在河岸边上，耷(dā)拉着两条腿。他光着头，穿一件颜色跟树叶差不多的绿上衣，手里拿着一块木头，不知在削什么。

　　"喂，你来！"军官叫那个孩子。

　　孩子赶紧把小刀放到衣袋里，抖了抖衣服上的木屑(xiè)，走到军官跟前。

　　"呶(náo)，让我看看！"军官说。

　　孩子从嘴里掏出一个小玩意儿，递给他，用快活的蓝眼睛望着他。

　　那是个白桦树皮做的口哨。

　　"挺(tǐng)巧！小孩子，你做得挺巧哇。"军官点了

点头。转眼间，他那阴沉的脸上闪出一种冷笑的光，
"谁教你这样吹哨子的？"

"我自己学的。我还会学杜鹃叫呢。"

孩子学了几声杜鹃叫。接着又把哨子塞(sāi)到
嘴里吹起来。

"村子里就剩下你一个了吗？"军官继续盘问他。

"怎么会就剩下我一个？这里有麻雀、乌鸦、猫
头鹰，多着呢。夜莺倒是只有我一个！"

"你这个坏家伙！"军官打断孩子的话，"我是
问你这里有没有人。"

"人呢？战争一开始这里就没有人了。"小孩不
慌不忙地回答，"刚刚一开火，村子就着火了，大家
都喊：'野兽来了，野兽来了'——就都跑了。"

"蠢东西！"军官想着，轻蔑(miè)地微笑了一下。

"哎，你认识往苏蒙塔斯村去的路吗？那个村子大概是叫这个名字吧？"

"怎么会不认识！"孩子很有信心地回答，"我和叔叔常到磨坊那儿的堤坝上去钓鱼。那儿的狗鱼可凶呢，能吃小鹅！"

"好啦，好啦，带我们去吧。要是你带路带得对，我就把这个小东西送给你。"军官说着，指了指他的打火机，"要是你把我们带到别处去，我就把你的脑袋拧(nǐng)下来。听懂了吗？"

队伍出发了，行军灶打头，跟着就是小孩和军官，他俩并排着走。小孩有时候学夜莺唱，有时候学杜鹃叫，胳膊一甩一甩地打着路旁的树枝，有时候弯下腰去拾球果，还用脚把球果踢起来。他好像把身边的军官完全忘了。

森林越来越密。弯弯曲曲的小路穿过密密的白桦树林，穿过杂草丛生的空地，又爬上了长满古松的小山。

"你们这里有游击队吗？"军官突然问。

"你说的是一种蘑(mó)菇吗？没有，我们这里没有这种蘑菇。这里只有红蘑菇、白蘑菇，还有洋蘑菇。"孩子回答。

军官觉得从孩子嘴里什么也问不出来,就不再问了。

树林深处,有几个游击队员埋伏在那里,树旁架着冲锋枪。他们从树枝缝里往外望,能够看见曲折的小路。他们不时说几句简单的话,小心地拨开树枝,聚精会神地盯着远方。

"你们听见了吗?"一个游击队员突然说。他伸直了腰,好像有什么鸟的叫声,透过树叶的沙沙声,模模糊糊地传来。他侧着头,往叫声那边仔细听,"夜莺!"

"没听错吗?"另一个游击队员说。他紧张起来,仔细听,可又什么也听不见了。他从大树桩下边掏出四个手榴弹,放在跟前以防万一。

"这回你听见了没有?"

夜莺的歌声越来越响了。

那个最先听到夜莺叫的凝神地站着,好像钉[dìng]在那里似的。他注意数着一声一声的鸟叫:"一,二,三,四……"一边数一边用手打着拍子。

夜莺的叫声停止了。"32个鬼(guǐ)子……"那个人说。只有游击队员才知道这鸟叫的意思。接着传来两声杜鹃叫。"两挺机关枪。"他又补充说。

"对付得了!"一个满脸胡子的汉子端着冲锋枪说。他理了理挂在腰间的子弹袋。

"应该对付得了!"听鸟叫的那个人回答,"我和斯切潘(pān)叔叔把他们放过去,等你们开了火,我们在后边加油。如果我们出了什么事,你们可不要忘了小夜莺……"

过了几分钟,德国兵在松树林后边出现了。夜莺还是兴致勃勃地唱着,但是对藏在寂静森林里的人们来说,那歌声已经没有什么新鲜的意思了。

德国兵走到林中空地上的时候,突然从松树林里发出一声口哨响,像回声一样回答了孩子。孩子突然站住,转了个身,钻到树林里不见了。枪声打破了林中的寂静。军官还没来得及抓起手枪,就滚到了路边的尘埃(āi)里。被冲锋枪打伤的德国兵一个跟一个地倒下。呻(shēn)吟(yín)声、叫喊声、断断续续的口令声充满了树林。

第二天,在被烧毁的村子的围墙旁边,在那小路分岔的地方,孩子又穿着那件绿上衣,坐在原来那河岸边削什么东西，并且不时回过头去，望望那通向村子的几条道路，好像在等谁似的。

从孩子的嘴里飞出宛(wǎn)转的夜莺的歌声。这歌声，即使是听惯了鸟叫的人也觉察不出跟真夜莺的有什么两样。

我知道结尾两个自然段和开头三个自然段的联系是……

屑 挺 拧 蘑 鬼 呻 吟 宛

削	喂	哨	挺	斯	甩	踢
枪	防	鬼	汉	滚	毁	惯

📖 这个故事真吸引人，我们来分角色读一读。

🎤 我们来讨论讨论："夜莺"是怎样巧妙地和敌人周旋，为游击队传送情报的？

🖊 课文中有些句子含着一定的意思，如，"大家都喊：'野兽来了，野兽来了'——就都跑了。"让我们找出类似的句子，读一读，体会体会。

在第二次世界大战中，苏联儿童用他们的智慧和勇敢同入侵者作斗争，保卫自己的家园。同样，在中国的抗日战争中，也涌现出许许多多的少年英雄，雨来就是其中的一个。默读课文，说说课文讲了雨来的哪几件事，自己感受最深的是什么，再把小英雄雨来的故事讲给别人听。如果有兴趣，还可以给每个部分加个小标题。

14* 小英雄雨来

一

　　晋(jìn)察冀(jì)边区的北部有一条还[huán]乡河，河里长着很多芦苇。河边有个小村庄。芦花开的时候，远远望去，黄绿的芦苇上好像盖了一层厚厚的白雪。风一吹，鹅毛般的苇絮(xù)就飘飘悠(yōu)悠地飞起来，把这几十家小房屋都罩在柔软的芦花里。因此，这村就叫芦花村。12岁的雨来就是这村的。

　　雨来最喜这条紧靠着村边的还乡河。每到夏天，雨来和铁头、三钻儿，还有很多小朋友，好像一群鱼，在河里钻上钻下，藏猫猫，狗刨，立浮，仰浮。雨来仰浮的本领最高，能够脸朝天在水里躺着，

　　本文作者管桦。

不但不沉底，还要把小肚皮露在水面上。

妈妈不让雨来耍水，怕出危险。有一天，妈妈见雨来从外面进来，光着身子，浑身被太阳晒得黝(yǒu)黑发亮。妈妈知道他又去耍水了，把脸一沉，叫他过来，扭身就到炕(kàng)上抓笤(tiáo)帚。雨来一看要挨打了，撒腿就往外跑。

妈妈紧跟着追出来。雨来一边跑一边回头看。

糟了！眼看要追上了，往哪儿跑呢？铁头正赶着牛从河沿回来，远远地向雨来喊："往河沿跑！往河沿跑！"雨来听出了话里的意思，转身就朝河沿跑。妈妈还是死命追着不放，到底追上了，可是雨来浑身光溜溜的像条小泥鳅(qiū)，怎么也抓不住。只听见扑通一声，雨来扎进河里不见了。妈妈立在河沿上，望着渐渐扩大的水圈直发愣。

忽然，远远的水面上露出个小脑袋来。雨来像小鸭子一样抖着头上的水，用手抹一下眼睛和鼻子，嘴里吹着气，望着妈妈笑。

二

秋天。

爸爸从集上卖苇席回来，同妈妈商量："看见了区上的工作同志，说是孩子们不上学念书不行，起码要上夜校。叫雨来上夜校吧。要不，将来闹个睁眼瞎(xiā)。"

夜校就在三钻儿家的豆腐房里，房子很破。教夜课的是东庄学堂里的女老师，穿着青布裤褂，胖胖的，剪着短发。女老师走到黑板前面，屋里嗡(wēng)嗡嗡嗡说话的声音立刻停止了，只听见哗啦哗啦翻课本的声音。雨来从口袋里掏出课本，这是用土纸油印的，软鼓囊囊的。雨来怕揉坏了，向妈妈要了一块红布，包了个书皮，上面用铅笔歪(wāi)歪斜斜地写了"雨来"两个字。雨来把书放在腿上，翻开书。

女老师斜着身子，用手指点着黑板上的字，念着：
"我们是中国人，
我们爱自己的祖国。"

大家就随着女老师的手指，齐声轻轻地念起来：
"我们——是——中国人，
我们——爱——自己的——祖国。"

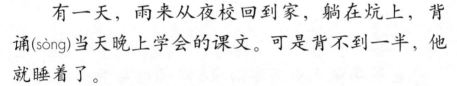

有一天，雨来从夜校回到家，躺在炕上，背诵(sòng)当天晚上学会的课文。可是背不到一半，他就睡着了。

不知什么时候，门吱(zhī)扭响了一声。雨来睁开眼，看见闪进一个黑影。妈妈划了根火柴，点着灯，一看，原来是爸爸出外卖席子回来了。他肩上披着子弹[dàn]袋，腰里插着手榴弹，背上还背着一杆长长的步枪。爸爸怎么忽然这样打扮起来了呢？

爸爸对妈妈说："鬼子又'扫荡'了，民兵都到区上集合，要一两个月才能回来。"雨来问爸爸："爸爸，远不远？"爸爸把手伸进被里，摸着雨来光溜溜的脊背，说："这哪有准儿呢？说远就远，说近就近。"爸爸又转过脸对妈妈说："明天你到东庄他姥(lǎo)姥家去一趟(tàng)，告诉他舅(jiù)舅，就说区上说的，叫他赶快把村里的民兵带到区上去集合。"妈妈问："区上在哪儿？"爸爸装了一袋烟，吧嗒(dā)吧嗒抽着，说："叫他们在河北一带村里打听。"

雨来还想说什么，可是门哐(kuāng)啷(lāng)响了一下，就听见爸爸走出去的脚步声。不大一会儿，什么也听不见了，只从街上传来一两声狗叫。

第二天，吃过早饭，妈妈就到东庄去，临走说晚上才能回来。过了晌午，雨来吃了点剩饭，因为看家，不能到外面去，就趴在炕上念他那红布包着的识字课本。

忽然听见街上咕(gū)咚(dōng)咕咚有人跑，把屋子震得好像摇晃起来，窗户纸哗啦哗啦响。

雨来一骨碌(lù)下了炕，把书塞(sāi)在怀里就往外跑，刚要迈门槛(kǎn)，进来一个人，雨来正撞在这个人的怀里。他抬头一看，是李大叔。李大叔是区上的交通员，常在雨来家落脚。

随后听见日本鬼子唔(wú)哩哇啦地叫。李大叔忙把墙角那盛着一半糠(kāng)皮的缸搬开。雨来两眼愣住了，"咦(yí)！这是什么时候挖的洞呢？"李大叔跳进洞里，说："把缸搬回原地方。你就快到别的院里去，对谁也不许说。"

12岁的雨来使尽气力，才把缸挪(nuó)回到原地。

雨来刚到堂屋，见十几把雪亮的刺刀从前门进来，他撒腿就往后院跑。背后咔(kā)啦一声枪栓(shuān)响，有人大声叫道："站住！"雨来没理他，脚下像踩着风，一直朝后院跑去。只听见子弹向他头上嗖(sōu)嗖地飞来。可是后院没有门，把雨来急出一身冷汗。靠墙有一棵桃树，雨来抱着树就往上爬。鬼子已经追到树底下，伸手抓住雨来的脚，往下一拉，雨来就摔在地下。鬼子把他两只胳膊向背后一拧，捆绑起来，推推搡(sǎng)搡回到屋里。

四

鬼子把前后院都翻遍了。

屋子里遭了劫(jié)难，连枕(zhěn)头都给刺刀挑破了。炕沿上坐着个鬼子军官，两眼红红的，用中国话问雨来说："小孩，问你话，不许撒谎！"他突然望着雨来的胸脯，张着嘴，眼睛睁得圆圆的。

雨来低头一看，原来刚才一阵子挣扎[zhá]，识字课本从怀里露出来了。鬼子一把抓在手里，翻着看了看，问他："谁给你的？"雨来说："捡来的！"

鬼子露出满口金牙，做了个鬼脸，温和地对雨来说："不要害怕！小孩，皇军是爱护的！"说着，就叫人给他松绑。

　　雨来把手放下来，觉得胳膊发麻发痛。扁鼻子军官用手摸着雨来的脑袋，说："这本书谁给你的，没有关系，我不问了。别的话要统统告诉我！刚才有个人跑进来，看见没有？"雨来用手背抹了一下鼻子，嘟(dū)嘟囔(nāng)囔地说："我在屋里，什么也没看见。"

　　扁鼻子军官把书扔在地上，伸手往皮包里掏。雨来心里想："掏什么呢？找刀子？鬼子生了气要挖小孩眼睛的！"只见他掏出来的却是一把雪白的糖块。

　　扁鼻子军官把糖往雨来手里一塞，说："吃！你吃！你得说出来，他在什么地方？"他又伸出那个戴金戒指的手指，说："这个，金的，也给你！"

　　雨来没有接他的糖，也没有回答他。

　　旁边一个鬼子嗖地抽出刀来，瞪(dèng)着眼睛要向雨来头上劈(pī)。扁鼻子军官摇摇头。两个人唧(jī)唧咕咕说了一阵。那鬼子向雨来横着脖子翻白眼，使劲把刀放回鞘(qiào)里。

　　扁鼻子军官压住肚子里的火气，用手轻轻地拍着雨来的肩膀，说："我最喜欢小孩。那个人，你看见没有？说呀！"

雨来摇摇头，说："我在屋里，什么也没看见。"

扁鼻子军官的眼光立刻变得凶恶可怕，他向前弓着身子，伸出两只大手。啊！那双手就像鹰的爪子，扭着雨来的两只耳朵，向两边拉。雨来疼得直咧(liě)嘴。鬼子又抽出一只手来，在雨来的脸上打了两巴掌，又把他脸上的肉揪(jiū)起一块，咬着牙拧[níng]。雨来的脸立刻变成白一块，青一块，紫一块。鬼子又向他胸脯上打了一拳。雨来打个趔(liè)趄(qiè)，后退几步，后脑勺正碰在柜板上，但立刻又被抓过来，肚子撞在炕沿上。

雨来半天才喘过气来，脑袋里像有一窝蜂，嗡嗡地叫。他两眼直冒金花，鼻子流着血。一滴一滴的血滴下来，溅在课本那几行字上：

"我们是中国人，

我们爱自己的祖国。"

鬼子打得累了，雨来还是咬着牙，说："没看见！"

扁鼻子军官气得暴跳起来，嗷(áo)嗷地叫："枪毙(bì)，枪毙！拉出去，拉出去！"

五

太阳已经落下去。蓝蓝的天上飘着的浮云像一块一块红绸子，映在还乡河上，像开了一大朵一大朵鸡冠(guān)花。苇塘的芦花被风吹起来，在上面飘飘悠悠地飞着。

芦花村里的人听到河沿上响了几枪。老人们含着泪，说：

"雨来是个好孩子！死得可惜！"

"有志不在年高。"

芦花村的孩子们，雨来的好朋友铁头和三钻儿几个人，听到枪声都呜呜地哭了。

六

交通员李大叔在地洞里等了好久，不见雨来来搬缸，就往另一个出口走。他试探着推开洞口的石板，扒开苇叶。院子里空空的，一个人影也没有，四处也不见动静。忽然听见街上有人吆(yāo)喝："豆腐啦！卖豆腐啦！"这是芦花村的暗号，李大叔知道敌人已经走远了。

可是雨来怎么还不见呢？他跑到街上，看见许多人往河沿跑，一打听，才知道雨来被鬼子打死在河里了！

李大叔脑袋轰的一声，眼泪就流下来了。他一股劲儿地跟着人们向河沿跑。

到了河沿，别说尸(shī)首，连一滴血也没看见。

大家呆呆地在河沿上立着。还乡河静静的，河水打着漩(xuán)涡(wō)哗哗地向下流去。虫子在草窝里叫着。不知谁说："也许鬼子把雨来扔在河里，冲走了！"

大家就顺着河岸向下找。突然铁头叫起来："啊！雨来！雨来！"

在芦苇丛里，水面上露出个小脑袋来。雨来还是像小鸭子一样抖着头上的水，用手抹一下眼睛和鼻子，扒着芦苇，向岸上的人问道："鬼子走了？"

"啊！"大家都高兴得叫起来，"雨来没有死！雨来没有死！"

原来枪响以前，雨来就趁鬼子不防备，一头扎到河里去。鬼子慌忙向水里打枪，可是我们的小英雄雨来已经从水底游到远处去了。

晋　冀　絮　瞎　歪　挪　枕　劈

资料袋

　　战争让无数人失去了生命。据不完全统计，第一次世界大战持续了4年3个月，有33个国家参战，卷入战争人口达15亿以上，军民伤亡3000多万人。第二次世界大战历时6年之久，先后有60多个国家和地区参战，20多亿人卷入战争，死亡7000多万人。

　　现代战争同样给人类造成巨大的破坏。联合国儿童基金会2003年报告，自1990年至2003年，因为战争，世界有200万儿童死亡，600万儿童受伤或残疾。

15　一个中国孩子的呼声

敬爱的联合国秘书长加利先生：

您好！

我们虽然没有见过面，我和妈妈却接到过您的问候。两年以前，我亲爱的爸爸作为联合国的一名军事观察员，在执(zhí)行维护和平行动中壮烈牺牲，您给予了他高度的评价，赞扬他是"一名卓(zhuó)越的观察员，在执行联合国维和行动中体现了人道与公正的素质"。对此，我和妈妈向您表示深深的谢意。

两年多来，我们全家沉浸在失去亲人的巨大悲痛中。我至今都忘不了，爸爸临上飞机前对我和妈妈那深情的目光。他说："孩子，等爸爸回来，我一定送你一顶'蓝盔(kuī)'。"我们与爸爸相约，等爸爸凯(kǎi)旋的那一天，我们要带着最美的鲜花迎接他。

现在这顶蓝盔回来了，但它是钉在爸爸的灵柩(jiù)上回来的。我们如约捧着鲜花，接到的却是爸爸那覆盖着国旗的遗体。鲜血染红了他的征衣，腕(wàn)上的手表浸满了凝固的血。爸爸的嘴张着，仿佛在呼唤着什么。啊！我听见了，妈妈听见了，

本文作者雷利，选作课文时有改动。

在场的叔叔阿姨听见了，全世界都听见了，他呼唤的是：和平！和平！和平！

我的爸爸精通四国语言，是一位出色的经济学硕(shuò)士，本来他应该为人类作出更大的贡献，却被战争夺去了宝贵的生命。他的死是光荣的，他是为和平而倒下的，他倒在了维护世界和平的圣坛上。今天，我要向爸爸献上一束最美的鲜花，因为他是保卫世界和平的光荣战士。

51年前，全世界人民用生命和鲜血赢得了反法西斯战争的胜利。但是51年后的今天，和平之神并没有永驻(zhù)人间。

联系现实，我读懂了这句话。

今天，我们中国孩子虽然生活在和平环境中，但是世界并不太平，不少地区还弥(mí)漫着战争的硝(xiāo)烟，罪恶的子弹还威胁(xié)着娇嫩的"和平之花"。我们一定要像爸爸那样热爱和平，勇敢地用自己的生命保卫和平。

敬爱的加利先生，在此，我代表我的家庭，代表所有的中国孩子，通过您向整个国际社会呼吁[yù]："救救孩子们，要和平不要战争！"为了母亲不再失去儿子，为了妻(qī)子不再失去丈夫，为了孩子不再失去父亲，全世界应该一致行动起来，维护和平，制止战争！让那已经能够听到脚步声的21世纪，为战争敲响丧钟，让明天的世界真正成为充满阳光、鲜花和爱的人类家园！

祝加利先生身体健康。

一个失去父亲的孩子
1996 年 11 月 8 日

| 卓 | 盔 | 凯 | 腕 | 驻 | 弥 | 胁 |

牺	牲	凯	征	阿	姨	济
贡	圣	驻	罪	恶	健	康

📖 我能边读边体会作者的心情，读出感情来。

🎤 我们来结合课文和具体事例，谈谈对下面句子的理解。

● 但是世界并不太平，不少地区还弥漫着战争的硝烟，罪恶的子弹还威胁着娇嫩的"和平之花"。

让那已经能够听到脚步声的21世纪，为战争敲响丧钟，让明天的世界真正成为充满阳光、鲜花和爱的人类家园！

维护和平，制止战争，是世界人民的共同心愿。让我们有感情地朗读下面的这首诗，想一想，每一节诗主要讲了什么，诗中四次提到"这究竟是为什么"，表达了怎样的思想感情。

16* 和我们一样享受春天

　　蔚(wèi)蓝色的大海，
　　本来是海鸥的乐园，
　　可是巡弋(yì)的战舰和水雷
　　成了不速之客，
　　这究竟是为什么？

　　金黄色的沙漠，
　　本来是蜥(xī)蜴(yì)和甲虫的天下，
　　可是轰隆隆的坦克和大炮
　　打破了它们的梦幻，
　　这究竟是为什么？

本文作者高洪波，选作课文时有改动。

蓝得发黑的夜空，
本来属于星星和月亮，
可是如今频(pín)频发射的导弹
把星星的家园搅得很不安宁，
这究竟是为什么？

绿茵(yīn)茵的草地，
本该滚动着欢乐的足球，
可是如今散落着的地雷碎片
阻挡着孩子们奔跑的脚步，
这究竟是为什么？

我们希望，我们祈(qí)盼——
让战火中的孩子
有一张课桌，平稳的课桌，
不被导弹的气浪掀翻！
有一间教室，洁白的教室，
免遭炸弹的弹片击穿！
和我们一样在鲜花中读书，
和我们一样享受春天……

蔚 弋 频 茵

儿童和平条约

我们世界的儿童，宣告未来的和平，

我们想要一个没有战争和武器的星球，

我们要除掉疾病和破坏，

我们再也不要憎(zēng)恨和饥饿，再也不要无家可归。我们要消灭这一切。

我们的大地给予我们足够的食品——我们将共享。

我们的天空给予我们美丽的彩虹——我们将保卫它们。

我们的河水给予我们不朽(xiǔ)的生命——我们保持它们的洁净。

我们要共同欢笑，共同游玩，共同工作，互相学习、探索和改善大家的生活。

我们是为和平，为现在的和平，永久的和平，我们大家的和平。

世界上的成年人和我们一起，你们丢掉的只是恐惧(jù)和悲伤。抓住我们的欢笑和想象，我们在一起，和平就是可能的。

词语盘点

读读写写

沉寂　盘问　口哨　埋伏　凝神　烧毁
维护　壮烈　牺牲　谢意　沉浸　深情
凯旋　征衣　凝固　阿姨　精通　经济
贡献　圣坛　罪恶　呼吁　健康　不慌不忙
杂草丛生　聚精会神　模模糊糊　以防万一
断断续续　永驻人间

读读记记

木屑　蘑菇　呻吟　宛转　芦苇　苇絮
打扮　脊背　枕头　防备　卓越　蓝盔
弥漫　威胁　蔚蓝　巡弋　梦幻　阻挡
睁眼瞎　手榴弹　绿茵茵　飘飘悠悠
歪歪斜斜　不速之客

语 文 园 地 四

口语交际

小小新闻发布会

生活在现代社会里，我们时时处处感受到新闻的存在。听广播、看电视、读报纸、上网，这些方便、快捷的途径，使我们随时可以了解到国内和国外的新闻。现在就让我们来召开一次新闻发布会吧！

发布新闻的时候，选一名同学做发布会的主持人，然后请同学发布自己搜集到的新闻。它可以是发生在国内、国外的大事，也可以是发生在身边的新鲜事。如果对发布的新闻有疑问，可以向新闻发布人提出来。还可以评评谁讲得最清楚、最明白，再评出"最佳新闻发言人"。

习 作

下面这张照片是 1937 年 8 月 28 日，日本侵略者轰炸上海火车南站时，被记者拍下来的真实情景。仔细观察照片，想一想这个小孩为什么哭？他的父母在哪里？当时可能发生了什么事？这个孤独的孩子以后的命运如何？联系照片的人和景，把你看到的和想到的写下来。内容要具体，语句要通顺，表达出自己的真实情感。

我的发现

● 妈妈还是死命追着不放，到底追上了，可是雨来浑身光溜溜的像条小泥鳅，怎么也抓不住。

● 雨来像小鸭子一样抖着头上的水，用手抹一下眼睛和鼻子，嘴里吹着气，望着妈妈笑。

● 那双手就像鹰的爪子，扭着雨来的两只耳朵，向两边拉。

● 她似乎感到德军那几双恶狼般的眼睛都盯在越来越短的蜡(là)烛上。

> 这两组句子中带点的部分表达了不同的感情……

日积月累

知己知彼	百战百胜	运筹帷幄（chóu wéi wò）	决胜千里
出其不意	攻其不备	围魏救赵	声东击西
四面楚歌	腹背受敌	草木皆兵（jiē）	风声鹤唳（lì）
兵贵神速	突然袭击	神出鬼没	所向无敌

宽 带 网

　　战争给人类带来的灾难是深重的，特别是那些无辜(gū)的孩子。很多孩子因为战争失去了家园，成了难民。由于食物短缺，孩子们大多营养不良。使用某些违(wéi)禁武器所产生的辐(fú)射，使许多战后出生的儿童，得了白血病或其他怪病。

　　战争中也涌现出许多为国家、为和平而战的英雄人物。比如，抗击日本侵略者的杨靖(jìng)宇、赵一曼(màn)，为建立新中国英勇献身的方志敏、董(dǒng)存瑞，抗美援朝、保家卫国的黄继光、邱(qiū)少云……

　　让我们通过课外阅读、看电影电视、听故事、参观展览等活动，了解更多的有关战争给人类造成灾难的事实和英雄人物的事迹。

第 五 组

　　生命是宝贵的，也是美好的。砖缝里顽(wán)强生长的小苗，绝境中奋力求生的飞蛾，花丛中感受春光的盲(máng)姑娘……这一幅幅动人的画面无不展示着他们对生命的热爱。让我们随着课文的学习，去感受生命的美好，体会课文中含义较深的词句。如果有条件，还可以去搜集、了解更多热爱生命的故事。

17 触摸春天

　　邻居的小孩安静，是个盲(máng)童。

　　春天来了，小区的绿地上花繁叶茂。桃花开了，月季花开了。浓郁的花香吸引着安静。这个小女孩，整天在花香中流连。

　　早晨，我在绿地里面的小径上做操，安静在花丛中穿梭。她走得很流畅(chàng)，没有一点儿磕(kē)磕绊绊。安静在一株月季花前停下来。她慢慢地伸出双手，在花香的引导下，极其准确地伸向一朵沾着露珠的月季花。我几乎要喊出声来了，因为那朵月季花上，正停着一只花蝴蝶。

　　安静的手指悄然合拢，竟然拢住了那只蝴蝶，真是一个奇迹！睁着眼睛的蝴蝶被这个盲女孩神奇

本文作者吴玉楼，选作课文时有改动。

的灵性抓住了。蝴蝶在她的手指间扑腾，安静的脸上充满了惊讶。这是一次全新的经历，安静的心灵来到了一个她完全没有体验过的地方。

我静静地站在一旁，看着安静。我仿佛看见了她多姿多彩的内心世界，一瞬间，我深深地感动了。

在春天的深处，安静细细地感受着春光。许久，她张开手指，蝴蝶扑闪着翅膀飞走了，安静仰起头来张望。此刻安静的心上，一定划过一条美丽的弧(hú)线，蝴蝶在她八岁的人生划过一道极其优美的曲线，述说着飞翔(xiáng)的概念。

我没有惊动安静。谁都有生活的权(quán)利，谁都可以创造一个属于自己的缤(bīn)纷世界。在这个清香袅(niǎo)袅的早晨，安静告诉我这样的道理。

畅 磕 弧 翔 权 缤 袅

径 畅 磕 绊
瞬 弧 翔 权 缤

多美的课文，我要好好读一读，还要把喜欢的段落背下来。

"谁都有生活的权利,谁都可以创造一个属于自己的缤纷世界。"让我们结合课文和生活实际,说说对这句话的理解。

我们来读读下面的句子，体会体会带点的词语，再抄下来。

● 安静的手指悄然合拢，竟然拢住了那只蝴蝶，真是一个奇迹！睁着眼睛的蝴蝶被这个盲女孩神奇的灵性抓住了。

● 许久，她张开手指，蝴蝶扑闪着翅膀飞走了，安静仰起头来张望。

我是个盲人，但是我光凭触觉就能发现数以百计的有趣的东西。我能摸出树叶的精巧的对称图形。我的手带着深情抚摸银桦的光润的细皮，或者松树的粗糙的凸(tū)凹(āo)不平的硬皮。在春天，我怀着希望抚摸树木的枝条，想找到一个芽蕾(lěi)，那是大自然在冬眠之后苏醒的第一个朕(zhèn)兆(zhào)。我感觉到花朵的美妙的丝绒般的质地，发现它惊人的螺旋形的排列——我又探索到大自然的一种奇妙之处。如果我幸运的话，在我把手轻轻地放在小树上时，还能偶然感到小鸟在枝头讴(ōu)歌时所引起的欢乐的颤动。小溪的清凉的水从我撒开的指间流过，使我欣慰。松针或绵软的草叶铺成的葱茏(lóng)的地毯比最豪华的波斯地毯还要可爱。春夏秋冬一一在我身边展开，这对我是一出无穷无尽的惊人的戏剧。这戏的动作是在我的指头上流过的。

（海伦·凯勒）

我们可以把搜集到的资料整理整理，办一期"热爱生命"的墙报。

我想搜集海伦·凯勒的故事。

盲姑娘只能用手触摸春天、用心感受生命的美好。如果她有一双明亮的眼睛，那有多好啊。默读下面这篇课文，说说琳达一家人为了让盲人重见光明，他们是怎样做的。从课文中找出含有"骄傲"的句子，有感情地读一读，再联系上下文，讨论讨论从中体会到了什么。

18* 永生的眼睛

我14岁那年，一场突如其来的疾病夺走了母亲的生命。那会儿，我的内心一直笼罩着巨大的悲哀与苦痛。一想到从此以后我再也得不到妈妈的呵护了，泪水便不由自主地流淌下来。我无法面对没有妈妈的孤零零的生活。

当天下午，一位警官来到我们家，对父亲说："先生，您同意医院取用尊夫人的眼睛角膜吗？"

"当然可以。"爸爸痛快地回答。

我被他们的对话惊呆了。我不明白那些医生为什么要将母亲的角膜给予他人，更让我无法明白的是，爸爸居然不假思索地答应了。我痛苦难忍，不顾一切地冲进了自己的房间。"你怎么能让他们这

本文作者是美国的琳达·里弗斯，选作课文时有改动。

样对待妈妈！"
我冲着爸爸哭
喊，"妈妈完整
地来到世上，也
应该完整地离
去。"

"琳达，"爸爸坐到我
身边，平静地说，"一个人
所能给予他人的最珍贵的东西，莫过于自己身体的
一部分。很久以前，你妈妈和我就认为，如果我们
死后的身体能有助于他人恢复健康，我们的死就是
有意义的。"原来，他和妈妈早已
决定死后捐(juān)赠器官了。

很多年过去了，我渐
渐长大，有了自己的家庭。
父亲也老了，身体一天不如
一天。为了照顾
他，我把他接来
同住。父亲愉快
地告诉我，他去

世后要捐赠所有完好的器官，尤其是眼睛角膜。

"如果一个盲(máng)童能在我们的帮助下重见光明，并像温迪一样画出栩栩如生的马儿，那多么美妙！"我的女儿温迪自幼酷爱画马，她的作品屡(lǚ)屡获奖。父亲接着说："当你们得知是我的眼睛角膜起了作用，你们会为我自豪！"

我把外公捐赠器官的心愿告诉了温迪。孩子热泪盈眶(kuàng)，她跑到外公的身边，紧紧地拥抱他。

父亲与世长辞后，我遵(zūn)从他的遗愿捐赠了他的眼睛角膜。温迪告诉我："妈妈，我真为你、为外公所做的一切感到骄傲。""这令你骄傲吗？"我问。"当然，你想过什么也看不见会有多么痛苦吗！我死后，也学外公将眼睛角膜捐给失明的人，让他们重[chóng]见天日。"在这一刻，我真正领悟到了父亲留下的远非一副角膜！我紧紧地搂(lǒu)住温迪，激动的泪水夺眶而出。这次，我为自己的女儿——14岁的温迪而骄傲！

捐　盲　屡　眶　遵　搂

19 生命 生命

　　我常常想，生命是什么呢?

　　夜晚，我在灯下写稿，一只飞蛾不停地在我头顶上飞来飞去，骚(sāo)扰(rǎo)着我。趁它停下的时候，我一伸手捉住了它。只要我的手指稍一用力，它就不能动弹[tán]了。但它挣扎着，极力鼓动双翅，我感到一股生命的力量在我手中跃动，那样强烈! 那样鲜明! 飞蛾那种求生的欲望令我震惊，我忍不住放了它!

　　墙角的砖缝中掉进一粒香瓜子，过了几天，竟然冒出一截小瓜苗。那小小的种子里，包含着一种多么强的生命力啊! 竟使它可以冲破坚硬的外壳，在没有阳光、没有泥土的砖缝中，不屈向上，茁壮生长，即使它仅仅只活了几天。

　　有一次，我用医生的听诊(zhěn)器，静听自己的心跳。那一声声沉稳而有规律的跳动，给我极大的震撼(hàn)，这就是我的生命，单单属于我的。我可以好好地使用它，也可以白白地糟蹋(tà)它。一切全由自己决定，我必须对自己负责。

本文作者杏林子，选作课文时有改动。

虽然生命短暂，但是，我们却可以让有限(xiàn)的生命体现出无限的价值。于是，我下定决心，一定要珍惜生命，决不让它白白流失，使自己活得更加光彩有力。

扰 诊 撼 蹋 限

| 扰 | 欲 | 屈 | 茁 | 诊 | 撼 | 蹋 | 限 |

📖 课文对我很有启发，我要好好读一读，并背下来。

🎤 作者从三个事例中引出了对生命的思考。让我们联系生活实际，交流交流对课文最后一段话的理解。

🖊 课文中的一些句子有很深的含义，如，"我可以好好地使用它，也可以白白地糟蹋它。"让我们找出来，体会体会，再抄下来。

小练笔 我想把学了这篇课文后的感受写下来。

茁壮生长在砖缝中的小瓜苗，让我们感受到了生命的顽强。当我们面对千万朵在冷风冷雨中怒放的小花的时候，又会有什么样的感受呢？有感情地朗读课文，说说作者在维也纳经历了一件什么事，他为什么会从"失望""遗憾"到"惊奇""心头怦然一震"？把自己喜欢的部分多读几遍，体会体会作者内心的感受。

20* 花的勇气

　　四月的维也纳真令我失望。大片大片的草地上，只是绿色连着绿色，见不到能让人眼前亮起来的明媚的小花。没有花的绿地是寂寞的。我对驾车同行的小吕(lǚ)说："四月的维也纳可真乏味！绿色到处泛滥(làn)，见不到花儿，下次再来非躲开四月不可！"

　　小吕听了，将车子停住，把我领到路边一片非常开阔的草地上，让我蹲下来扒开草好好看看。我用手拨开草一看，原来青草下边藏着满满一层小花，白的、黄的、紫的；纯洁、娇小、鲜亮；这么多、这么密、这么辽阔！它们比青草只矮几厘(lí)米，

本文作者冯骥才，选作课文时有改动。

躲在草下边，好像只要一使劲儿，就会齐刷(shuā)刷地冒出来……

"什么时候才能冒出来？"我问。"也许过几天，也许就在明天。"小吕笑道，"四月的维也纳可说不准，一天一个样儿。"

当天夜里，冷雨伴着凉风下了起来。后来的几天，雨时下时停，太阳一直没露面儿。

我很快要离开维也纳去意大利了，小吕为我送行。路上我对小吕说："这次看不到草地上的那些花儿，真有点儿遗憾，我想它们刚冒出来时肯定很壮观。"小吕驾着车没说话，大概也有些为我失望吧。

外边毛毛雨把车窗遮得像拉了一道纱帘。车子开出去十几分钟，小吕忽然对我说："你看窗外——"隔着雨窗，看不清外边，但窗外的颜色明显地变了，白色、黄色、紫色，在车窗上流动。小吕停了车，伸手拉开我这边的车门，未等我弄明白是怎么回事，便说："去看吧——你的花！"

迎着吹在脸上的细密的、凉凉的雨点，我看到的竟是一片花的原野。这正是前几天那片千万朵小花藏身的草地，此刻那些花儿一下子全冒了出来，顿时改天换地，整个世界铺[pū]满了全新的色彩。

虽然远处大片大片的花与蒙蒙细雨融在一起，低头却能清晰地看到，在冷雨中，每一朵小花都傲然挺立，明亮夺目，神气十足。

我惊奇地想：它们为什么不是在温暖的阳光下冒出来，偏偏在冷风冷雨中拔地而起呢？小小的花儿居然有如此的气魄！我的心头怦然一震，这一震，使我明白了生命的意味是什么，是——勇气！

吕 滥 厘 刷

词语盘点

读读写写

浓郁　　流连　　小径　　流畅　　引导　　悄然

灵性　　经历　　瞬间　　扑闪　　概念　　弧线

飞翔　　权利　　缤纷　　鼓动　　跃动　　欲望

冲破　　坚硬　　不屈　　茁壮　　沉稳　　震撼

糟蹋　　短暂　　有限　　珍惜　　花繁叶茂

磕磕绊绊　　多姿多彩

读读记记

笼罩　　呵护　　流淌　　捐赠　　器官　　角膜

酷爱　　拥抱　　遵从　　失明　　领悟　　乏味

泛滥　　辽阔　　遗憾　　气魄　　清晰　　孤零零

齐刷刷　　清香袅袅　　不假思索　　热泪盈眶

与世长辞　　重见天日　　改天换地　　傲然挺立

神气十足　　怦然一震

语文园地五

我们学习了本组课文，还搜集了有关的资料，对生命有了进一步的认识。让我们把这段时间的学习收获和大家交流交流，可以说说自己了解到的生命现象，也可以说说身边的那些热爱生命的故事，还可以说说自己获得的感受、得到的启发。

在全班交流的基础(chǔ)上，选择自己感受最深的内容写下来。内容要具体，要写出真实的感受。习作的题目由自己定，写完后认真修改。而后把习作和搜集到的资料整理整理，办一期以"热爱生命"为专题的墙报。

下面的资料供大家交流或习作时参考。

● 2003年的春天，一场突如其来的传染病蔓(màn)延开来。一场没有硝(xiāo)烟的战斗打响了。这是生命与疾病的抗争。在充满生命危险的病区里，那些可亲可敬的白衣战士，面对病魔，前赴(fù)后继，用自己的生命换来了千百个病人的康复，谱写了一曲曲生命之歌。邓练贤(xián)、叶欣、王晶、丁秀兰、李晓红……这些闪光的名字后面，都有着一个个感人的故事。

● 在我们身边，有许多热爱生命的人：辛勤培育我们的老师，治病救人的医生、护士，忠于职守的警察叔叔……

他们用劳动创造着美好的生活，也使自己的生命充满光彩。

● 树，砍断枝条还能再生；草，烧了还能再长。悬崖上的一棵松树茁壮地生长着，不需要谁来施肥，也不需要谁来灌溉。一粒种子，可以掀翻压着它的石块，顽强地向上生长……

我的发现

小林：我在读课文的时候，发现一些句子有较深的含义，需要我们细细地体会。

小东：是呀。比如，《生命 生命》中有这样的句子："我可以好好地使用它，也可以白白地糟蹋它。"我刚读到这句话的时候，理解很肤浅。

小林：我也是一样。仔细想了想，知道这句话含着的意思是，我们要珍惜生命，让有限的生命发挥出最大的价值；不要虚度年华，无所作为。体会句子含着的意思，还有其他的方法，比如，联系时代背景，联系自己的生活经验。

小东：让我想想，举个这样的例子……

日积月累

人的生命是有限的，可是，为人民服务是无限的。我要把有限的生命，投入到无限的为人民服务之中去。

（雷　锋）

我的一生始终保持着这样一个信念，生命的意义在于付出，在于给予，而不是接受，也不是在于争取。

（巴　金）

对于我来说，生命的意义在于设身处地替人着想，忧他人之忧，乐他人之乐。

（爱因斯坦）

成语故事

手不释卷

三国时期，吴国大将吕蒙，十分善于领兵打仗，立下了不少战功。但是他有一个缺点，就是不爱读书。有一次，吴王孙权派他去镇守一个重要的地方，临走前嘱咐他："你现在掌管军政大权，应当多读些史书、兵书，才能担当重任。"

吕蒙听了，感到很为难，摇摇头，说："军队里事情太多，哪有时间读书啊！"

孙权很不高兴，批评他，说："你这话不对，时间是靠人挤出来的！我过去爱读书，主管国家大事以来，虽然很忙，还是挤出不少时间，攻读史书、兵书，收获很大。汉朝光武皇帝，领兵打仗很紧张，可是仍然手不离书本。为什么你就没有时间呢？"

听了孙权的话，吕蒙觉得很惭愧。从此以后，他抓紧时间读书，知识越积越多。

有一次，吴国主将鲁肃和吕蒙讨论军事，吕蒙讲得头头是道。鲁肃听了非常高兴，他对吕蒙说："我以为你还是个大老粗呢，想不到你已经变成了学问家，真不是过去的吕蒙了！"

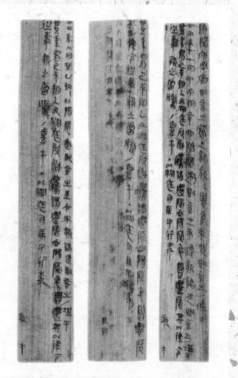

吕蒙笑着说："人分别三天，就得另眼相看，咱们分别这么久，你怎么还用老眼光看我呢？"

后来，吕蒙做了吴国的主将，有勇有谋，屡建奇功。

第 六 组

在乡间的小路上，你会闻到瓜果的芳香；在夜晚的池塘边，你会听到青蛙的歌唱；在辽阔的草地上，你会看到成群的牛羊。下面的课文，为我们描绘的就是这样的乡村生活画面。让我们随着课文的学习，走近乡下人家，感受田园诗情，体味优美语言，积累精彩句段，并围绕"走进田园、热爱乡村"，开展一次综合性学习。

原图·宫六朝

21　乡下人家

　　乡下人家，虽然住着小小的房屋，但总爱在屋前搭一瓜架，或种南瓜，或种丝瓜，让那些瓜藤攀上棚架，爬上屋檐(yán)。当花儿落了的时候，藤上便结出了青的、红的瓜，它们一个个挂在房前，衬着那长长的藤，绿绿的叶。青、红的瓜，碧绿的藤和叶，构成了一道别有风趣的装饰(shì)，比那高楼门前蹲着一对石狮子或是竖着两根大旗杆，可爱多了。

本文作者陈醉云，选作课文时有改动。

有些人家，还在门前的场地上种几株花，芍(sháo)药，凤仙，鸡冠(guān)花，大丽菊，它们依着时令，顺序开放，朴素中带着几分华丽，显出一派独特的农家风光。还有些人家，在屋后种几十枝竹，绿的叶，青的竿，投下一片绿绿的浓阴。几场春雨过后，到那里走走，常常会看见许多鲜嫩的笋，成群地从土里探出头来。

> 我仿佛看见了"雨后春笋"的画面。

　　鸡，乡下人家照例总要养几只的。从他们的房前屋后走过，肯定会瞧见一只母鸡，率领一群小鸡，在竹林中觅食；或是瞧见耸着尾巴的雄鸡，在场地上大踏步地走来走去。

　　他们的屋后倘若有一条小河，那么在石桥旁边，在绿树阴下，会见到一群鸭子，游戏水中，不时地把头扎到水下去觅食。即使附近的石头上有妇女在捣(dǎo)衣，它们也从不吃惊。

若是在夏天的傍晚出去散步，常常会瞧见乡下人家吃晚饭的情景。他们把桌椅饭菜搬到门前，天高地阔地吃起来。天边的红霞，向晚的微风，头上飞过的归巢的鸟儿，都是他们的好友，它们和乡下人家一起，绘成了一幅自然、和谐(xié)的田园风景画。

秋天到了，纺织娘寄住在他们屋前的瓜架上。月明人静的夜里，它们便唱起歌来："织，织，织，织呀！织，织，织，织呀！"那歌声真好听，赛过催眠曲，让那些辛苦一天的人们，甜甜蜜蜜地进入梦乡。

乡下人家，不论什么时候，不论什么季节，都有一道独特、迷人的风景。

> 我真想去看看这道独特、迷人的风景。

檐 饰 冠 捣 谐

棚	饰	冠	菊	瞧	率	觅
耸	捣	搬	巢	谐	眠	辛

乡村生活真是太美了！我要有感情地读课文，想画面，并把自己喜欢的部分背下来。

我们一起交流交流，对课文描写的哪一处乡村风景最感兴趣，并具体说说自己的体会。

下面的句子写得十分形象、生动，我抄了下来。你抄了哪些？

● 几场春雨过后，到那里走走，常常会看见许多鲜嫩的笋，成群地从土里探出头来。

● 从他们的房前屋后走过，肯定会瞧见一只母鸡，率领一群小鸡，在竹林中觅食；或是瞧见耸着尾巴的雄鸡，在场地上大踏步地走来走去。

综合性学习

读了上面的课文，你是否感受到了乡村生活的诗情画意？让我们开展一次"走进田园"的综合性学习，加深对农村生活的了解。

家在农村的同学，可以先想一想自己的家乡值得自豪的景物是什么，自己或身边人的生活是怎样的。然后进行深入的了解，比如，观察田园风光，了解不同季节里庄稼、瓜果蔬菜的生长，调查当地人生活的变化，回忆和小伙伴们之间的趣事。城里的同学可以在家长或老师的带领下去体验乡村生活，也可以向熟悉农村生活的人询(xún)问有关情况，还可以搜集国内外农村生活的资料。

活动前，可以先商量一下，准备怎样开展这次活动。

在天晴了的时候

在天晴了的时候，
请到小径中去走走：
给雨润过的泥路，
一定是凉爽又温柔；
炫(xuàn)耀着新绿的小草，
一下子洗净了尘垢(gòu)；
不再胆怯(qiè)的小白菊，
慢慢地抬起它们的头，
试试寒，试试暖，
然后一瓣瓣地绽(zhàn)透；
抖去水珠的凤蝶儿，
在木叶间自在闲游，
把它五彩的智慧书页
曝(pù)着阳光一开一收。

到小径中去走走吧，
在天晴了的时候：
看山间移动的暗绿——
云的脚迹——它也在闲游。

本文作者戴望舒，选作课文时有改动。

乡下人家的田园生活真让人向往！下面这篇课文描写的是有着"牧场之国"美誉的荷兰，那里的田园景色又是怎样的呢？让我们在阅读中去感受异国的田园风光。有感情地朗读课文，体会一下作者为什么四次讲到"这就是真正的荷兰"。如果有兴趣，还可以把自己喜欢的词句抄下来。

22*　牧场之国

　　荷兰，是水之国，花之国，也是牧场之国。

　　一条条运河之间的绿色低地上，黑白花牛，白头黑牛，白腰蓝嘴黑牛，在低头吃草。有的牛背上盖着防潮的毛毡(zhān)。牛群吃草时非常专注，有时站立不动，仿佛正在思考着什么。牛犊(dú)的模[mú]样像贵夫人，仪(yí)态端庄。老牛好似牛群的家长，无比尊严。极目远眺，四周全是丝绒般的碧绿草原和黑白两色的花牛。这就是真正的荷兰。

　　这就是真正的荷兰：碧绿色的低地镶(xiāng)嵌(qiàn)在一条条运河之间，成群的骏(jùn)马，匹匹膘(biāo)肥体壮。除了深深的野草遮掩着的运河，没有什么能够阻挡它们飞驰到远方。辽阔无垠(yín)的原野似乎归它们所有，它们是这个自由王国的主人和公爵(jué)。

本文作者是捷克作家卡雷尔·恰佩克，译者是万世荣。

在天堂般的绿色草原上，白色的绵羊，悠(yōu)然自得。黑色的猪群，不停地呼噜(lū)着，像是对什么表示赞许。成千上万的小鸡，成群结队的长毛山羊，在见不到一个人影的绿草地上，安闲地欣赏着这属于它们自己的王国。这就是真正的荷兰。

　　到了傍晚，才看见有人驾着小船过来，坐上小板凳，给严肃沉默的奶牛挤奶。金色的晚霞铺在西天，远处偶尔传来汽笛声，接着又是一片寂静。在这里，谁都不叫喊吆(yāo)喝，牛脖子上的铃铛也没有响声，挤奶的人更是默默无言。运河之中，装满奶桶的船只在舒缓平稳地行驶。满载着一罐一罐牛奶的汽车、火车，不停地开往城市。车船过后，一切又恢复了平静。最后一抹晚霞也渐渐消失了，整个天地都暗了下来。狗不叫了，圈[juàn]里的牛也不再发出哞(mōu)哞声，马也忘记了踢马房的挡板。沉睡的牲畜(chù)，无声的低地，漆黑的夜晚，远处的几座灯塔在闪烁着微弱的光芒。这就是真正的荷兰。

镶 嵌 骏 膘 垠 爵 悠 畜

资料袋

　　荷兰以郁金香、风车、牧场和运河而闻名天下。郁金香是荷兰的国花，品种达二百多个。除郁金香外，还有水仙、风信子……每年的三月到九月，整个荷兰就是一个万紫千红的世界、当之无愧的鲜花王国，它也因此获得了"欧洲花园""花卉王国"的美誉。

　　荷兰的运河纵(zòng)横交错，在运河之间是一望无际的牧场和大小不一的风车。置身于绿茵茵的草场，只见蓝天白云之下，茫茫绿野之间，一架架风车在慢慢地转，一群群牛羊在悠闲地吃草……这样的景色真让人着迷。

23 古诗词三首

乡村四月

[宋] 翁 卷

绿遍山原^①白满川^②，

子规^③声里雨如烟。

乡村四月闲人少，

才了^④蚕桑又插田。

注释

①山原：山陵和原野。

②白满川：指稻田里的水色映着天空的光辉。川，平地。

③子规：杜鹃鸟。

④了：结束。

四时田园杂兴①

[宋] 范成大

zhòu yún
昼出耘田②夜绩麻③，
村庄儿女各当家。
童孙未解④供⑤耕织，
也傍⑥桑阴学种瓜。

注释

① 杂兴：各种兴致。
② 耘田：除去田里的杂草。
③ 绩麻：把麻搓成线。
④ 未解：不懂。
⑤ 供：从事。
⑥ 傍：靠近。

渔歌子

[唐] 张志和

西塞山^①前白鹭飞，
桃花流水鳜鱼^②肥。
青箬笠^③，绿蓑衣^④，
斜风细雨不须归。

注释

①西塞山：在今浙江省湖州市西面。
②鳜鱼：一种淡水鱼，味道鲜美。
③箬笠：用竹篾(miè)、箬叶编制的斗笠。
④蓑衣：用草或棕制成的防雨用具。

| 蚕 | 昼 | 耘 | 塞 | 箬 | 笠 | 蓑 |

| 蚕 | 桑 | 昼 | 耘 | 绩 | 塞 | 鹭 | 笠 |

📖 我能背诵这三首古诗词，还能默写《乡村四月》《四时田园杂兴》。

🎤 我们用自己的话说说下面诗句的意思，再想象描绘的画面。

● 绿遍山原白满川，子规声里雨如烟。

● 童孙未解供耕织，也傍桑阴学种瓜。

● 西塞山前白鹭飞，桃花流水鳜鱼肥。

> 我还能背诵其他描写
> 田园风光的古诗词呢!

古人描写的乡村生活多么富有情趣。认真读读下面的课文，看看文中孩子的生活是怎样的。找出自己最喜欢的部分，再对同学说说喜欢的理由。

24* 麦 哨

"呜卟(bǔ)，呜卟，呜……"

田野里，什么声响和[hè]着孩子的鼻音，在浓绿的麦叶上掠过？一声呼，一声应[yìng]，忽高忽低，那么欢快，那么柔美。

湖畔(pàn)，到处是割草的孩子。白竹布衬衫小

本文作者陈益。

凉帽，绣花兜(dōu)肚彩头巾。那一张张红扑扑的脸蛋，蒙上了一层晶莹的细汗，犹如一朵朵沾满露珠的月季花。

前几天，田野里还是鹅黄嫩绿，芽苞初放。转眼间，到处都是浓阴。金黄的油菜花谢了，结出了密密的嫩荚(jiá)；黑白相间的蚕豆花谢了，长出了小指头似的豆荚；雪白的萝卜花谢了，结出了一蓬蓬的种子。麦田换上了耀眼的浅黄色新装。每根麦秆都擎(qíng)起了丰满的穗(suì)儿，那齐刷刷的麦芒，犹如乐谱上的线条，一个麦穗儿，就是一个跳动的音符。

湖边的草又肥又嫩，只消用手拉拉，竹篮很快就装满了。男孩子跑到铺满青草的土坡上面，翻跟头，竖蜻蜓，还有摔跤比赛。草地柔软而有弹性，比城里体育馆的垫子还要强，这简直是一个天然的运动场！

玩累了，喊渴了，不知是谁一声招呼，大家采集起"茅(máo)茅针"来。那是一种和茅草差不多的野草，顶部的茅穗儿还裹(guǒ)在绿色的叶片里，显得鼓鼓的。剥(bāo)开叶片，将茅穗儿连同茎轻轻抽出，把茎放进嘴里嚼(jiáo)嚼，吮(shǔn)吮，一股甘甜清凉的滋味很快从舌尖直沁(qìn)肺(fèi)腑(fǔ)！

"呜卟，呜卟，呜……"

是谁又吹响了那欢快、柔美的麦哨？一忽儿，四处都响了起来，你呼我应，此起彼落。那欢快的哨声在撩(liáo)起麦浪的东南风里，传得很远、很远……

畔 兜 穗 裹 嚼 肺 腑 撩

词语盘点

读读写写

棚架　风趣　装饰　顺序　照例　瞧见
率领　觅食　捣衣　向晚　归巢　和谐
辛苦　蚕桑　耘田　白鹭　鸡冠花　大丽菊
催眠曲　房前屋后　天高地阔　月明人静

读读记记

牧场　专注　端庄　丝绒　镶嵌　骏马
遮掩　飞驰　沉默　闪烁　微弱　掠过
湖畔　衬衫　晶莹　音符　招呼　清凉
肺腑　麦浪　红扑扑　极目远眺　膘肥体壮
辽阔无垠　悠然自得　成群结队　默默无言
鹅黄嫩绿　芽苞初放　此起彼落

口语交际·习作

    在综合性学习活动中，我们对乡村生活和田园景物有了更多的了解和感受。让我们一起来交流交流学习的收获。可以说说对田园风光的感受、体验，也可以展示自己搜集到的图片和文字资料，还可以谈谈活动过程中的见闻或趣事，等等。先在小组里交流，再选出代表在全班介绍。然后评一评谁的收获大、感受深。

    在口语交际的基础上，把自己最想写的内容写下来。可以写自己经历的，也可以写听到的、看到的或想到的，可以是景物、人或事，也可以是感受或体会。写的时候，把要想写的内容表达清楚，还要注意运用积累的优美词句。写完后认真读一读，改一改。

我的发现

- 不光是我一朵，一池的荷花都在舞蹈。
- 不再胆怯的小白菊，慢慢地抬起它们的头。
- 成千上万的小鸡，成群结队的长毛山羊，在见不到一个人影的绿草地上，安闲地欣赏着这属于它们自己的王国。

我发现句子中
带点的部分……

日积月累

- 采菊东篱下，悠然见南山。 （陶渊明^{yuān}）

- 人闲桂花落，夜静春山空。 （王　维）

- 竹外桃花三两枝，春江水暖鸭先知。 （苏　轼^{shì}）

- 黄梅时节家家雨，青草池塘处处蛙。 （赵师秀）

- 鹅湖山下稻粱肥，豚栅^{zhà}鸡栖半掩扉^{fēi}。 （王　驾）

- 独出前门望野田，月明荞^{qiáo}麦花如雪。 （白居易）

语文园地六

展示台

这是我们小组办的"农村风光"图片展。

我给大家讲一个农村儿童生活的故事。

这是我用麦秸编的蝈蝈笼子。

我写了一首描写乡村景色的小诗。

118

第 七 组

　　我们要想在某一方面取得成功，就应该有明确的目标，并进行不懈(xiè)的追求。下面的课文，讲的都是人们通过努力获得成功的故事。这些人中有科学家、艺术家，也有生活在我们身边的普通人。让我们阅读本组课文，留心人物外貌、动作等方面的描写，和同学交流从故事中获得的启示。

原图·靳尚谊

25　两个铁球同时着地

　　伽(jiā)利略是17世纪意大利伟大的科学家。他在学校念书的时候，同学们就称他为"辩论家"。他提出的问题很不寻常，常常使老师很难解答。

　　那时候，研究科学的人都信奉亚里士多德，把这位两千多年前的希腊哲学家的话当作不容更改的真理。谁要是怀疑亚里士多德，人们就会责备他："你是什么意思？难道要违(wéi)背人类的真理吗？"

　　亚里士多德曾经说过："两个铁球，一个10磅重，一个1磅重，同时从高处落下来，10磅重的一定先着地，速度是1磅重的10倍。"这句话使伽利略产生了疑问。他想：如果这句话是正确的，那么把这两个铁球拴在一起，落得慢的就会拖住落得快的，落下的速度应当比10磅重的铁球慢；但是，如果把拴在一起的两个铁球看作一个整体，就有11磅重，落下的速度应当比10磅重的铁球快。这样，从一个事实中却可以得出两个相反的结论，这怎么解释呢？

　　我知道伽利略的疑问是怎样产生的。

伽利略带着这个疑问反复做了许多次试验，结果都证明亚里士多德的这句话的[dí]确说错了。两个不同重量的铁球同时从高处落下来，总是同时着地，铁球往下落的速度跟铁球的轻重没有关系。伽利略那时候才25岁，已经当了数学教授。他向学生们宣布了试验的结果，同时宣布要在比萨城的斜塔上做一次公开试验。

　　消息很快传开了。到了那一天，很多人来到斜塔周围，都要看看在这个问题上谁是胜利者，是古代的哲学家亚里士多德呢，还是这位年轻的数学教授伽利略？有的说："这个青年真是胆大妄(wàng)为，竟想找亚里士多德的错处！"有的说："等会儿他就固执(zhí)不了啦，事实是无情的，会让他丢尽了脸！"

　　伽利略在斜塔顶上出现了。他右手拿着一个10磅重的铁球，左手拿着一个1磅重的铁球。两个铁球同时脱手，从空中落下来。一会儿，斜塔周围的人都忍不住惊讶地呼喊起来，因为大家看见两个铁球同时着地了，正跟伽利略说的一个样。这时大家才明白，原来像亚里士多德这样的大哲学家，说的话也不是全都对的。

违 妄 执

略	辩	奉	违	磅	拴
拖	释	宣	萨	妄	执

这篇课文使我很受启发，我要多读几遍。

我们来讨论讨论：伽利略为了证明自己的想法是正确的，是怎样进行试验的？别人有哪些反应？

我把课文最后一句话抄了下来，还能联系生活实际谈谈体会。

选做题　课文中有一些反义词，我们来找一找，再抄下来。

伽利略在探求科学真理的过程中，表现出了执著、求实的精神。下面这篇课文讲的是艺术家罗丹的故事，他在艺术创作中又表现了怎样的精神呢？默读课文，说说课文讲了一件什么事，把自己认为最能表现罗丹工作时全神贯注的句子画下来，读一读，再联系实际说说对课文最后一句话的体会。

26* 全神贯注

　　法国大雕塑家罗丹邀(yāo)请奥地利作家斯蒂(dì)芬·茨(cí)威格到他家里做客。饭后，罗丹带着这位挚(zhì)友参观他的工作室。走到一座刚刚完成的塑像前，罗丹掀开搭在上面的湿布，露出一座仪(yí)态端庄的女像。茨威格不禁拍手叫好，他向罗丹祝贺，祝贺又一件杰作的诞生。罗丹自己端详一阵，却皱着眉头，说："啊，不！还有毛病……左肩偏了点儿，脸上……对不起，请等一等。"他立刻拿起抹刀，修改起来。

　　茨威格怕打扰雕塑家工作，悄悄地站在一边。只见罗丹一会儿上前，一会儿后退，嘴里叽哩咕(gū)

噜(lū)的，好像跟谁在说悄悄话；忽然眼睛闪着异样的光，似乎在跟谁激烈地争吵。他把地板踩得吱(zhī)吱响，手不停地挥动……一刻钟过去了，半小时过去了，罗丹越干越有劲，情绪更加激动了。他像喝醉了酒一样，整个世界对他来讲好像已经消失了——大约过了一个小时，罗丹才停下来，对着女像痴(chī)痴地微笑，然后轻轻地吁了口气，重新把湿布披在塑像上。

茨威格见罗丹工作完了，走上前去准备同他交谈。罗丹径自走出门去，随手拉上门准备上锁(suǒ)。

茨威格莫名其妙，赶忙叫住罗丹："喂！亲爱的朋友，你怎么啦？我还在屋子里呢！"罗丹这才猛然想起他的客人来，他推开门，很抱歉地对茨威格

说:"哎哟(yō)!你看我,简直把你忘记了。对不起,请不要见怪。"

茨威格对这件事有很深的感触。他后来回忆说:"那一天下午,我在罗丹工作室里学到的,比我多年在学校里学到的还要多。因为从那时起,我知道人类的一切工作,如果值得去做,而且要做得好,就应该全神贯注。"

邀 挚 仪 咕 痴 锁

资料袋

罗丹是法国著名的雕塑家,1840年出生,1917年去世。罗丹创作的《青铜时代》《思想者》《雨果》《巴尔扎克》等人物雕塑,神态生动,内涵丰富,深受世界各国人民的喜爱。他的创作对欧洲近代雕塑的发展产生了很大的影响。罗丹说:"美是到处都有的。对于我们的眼睛,不是缺少美,而是缺少发现。"他鼓励人们关注生活,不断发现生活中的美。

思想者

27　鱼游到了纸上

西湖有很多地方可以观鱼。我喜欢花港，更喜欢"泉白如玉"的玉泉。

玉泉的池水清澈见底。坐在池边的茶室里，泡上一壶茶，靠着栏杆看鱼儿自由自在地游来游去，真是赏心悦目。茶室的后院还有十几缸金鱼呢，那儿也聚集着许多爱鱼的人：有老人，有孩子，也有青年。

就在金鱼缸边，我认识了一位举止特别的青年。他高高的身材，长得很秀气，一对大眼睛明亮得就像玉泉的水。

说"认识"，其实我并不了解他，只是碰到过几次罢(bà)了。说他"特别"，因为他爱鱼到了忘我的境界。他老是一个人呆呆地站在金鱼缸边，静静地看着金鱼在水里游动，而且从来不说一句话。

一个星期天，我到玉泉比平时晚了一些。金鱼缸边早已挤满了人，多数是天真活泼的孩子。这些孩子穿着鲜艳的衣裳，好像和金鱼比美似的。

"哟(yō)，金鱼游到了他的纸上来啦！"一个女孩惊奇地叫起来。

本文作者项冰如，选作课文时有改动。

我挤过去一看，原来是那位青年在静静地画画。他有时工笔细描，把金鱼的每个部位一丝不苟地画下来，像姑娘绣花那样细致；有时又挥笔速写，很快地画出金鱼的动态，仿佛金鱼在纸上游动。

　　围观的人越来越多，大家赞叹着，议论着，唯一没有任何反应的是他自己。他好像和游鱼已经融为一体了。

　　我仍旧去茶室喝茶，等到太阳快下山才起身往回走，路过后院，看到那位青年还在金鱼缸边画画。他似乎忘记了时间，也忘记了自己。

　　"你真专心哪！"我忍不住轻声对他说。没想到他头也不抬，理也不理我。

"好骄傲的年轻人。"我正想着，目光落到他胸前的厂徽(huī)上，心不由得咯(gē)噔(dēng)一跳！"福利工厂"，原来，他是个聋(lóng)哑(yǎ)人！

我们开始用笔在纸上交谈。他告诉我，他学画才一年多，为了画好金鱼，每个星期天都到玉泉来，一看就是一整天，常常忘了吃饭，忘了回家。

我把那个女孩说的话写给他："鱼游到了你的纸上来啦！"

他笑了，笑得那么甜。他接过笔在纸上又加了一句："先游到了我的心里。"

联系上文，我体会到了这句话的意思。

罢　徽　聋　哑

港　澈　壶　缸　罢
苟　绣　挥　徽　聋　哑

这篇课文使我很受启发，我要有感情地多读几遍。

我们一起来交流交流：鱼"游到了纸上"与"游到了心里"之间有什么关系？

我把描写聋哑青年的外貌和他看鱼、画鱼的句子抄了下来，你呢？

小练笔　我好像看到了围观的人议论的情景，我想把它写下来。

像聋哑青年那样去做事，很多事情都能成功。其实，这样的例子在我们身边还有很多。读读下面这个发生在父亲身上的故事，想想父亲是怎样开垦菜地的，交流一下读后的感受。如果有兴趣，可以把描写父亲言行的语句抄下来。

28* 父亲的菜园

一条新修的公路，使我家失去了四季翠绿的菜园。我们的心情都不大舒畅，没有了新鲜的蔬菜，对一个普通的农家来说，就像婴(yīng)儿断了奶。

终于有一天，父亲望着饭桌上总也盛不满的菜碗，说要重新开一块菜地。全家人投去诧异的目光——要知道，在我们这里要找一块可以当菜园的地，是相当困难的。望着我们疑惑的神情，父亲坚毅(yì)地说："我们去开一块新的菜地！"

于是，在我家后面的山坡上，父亲选择了一块相对平缓的坡地，作为菜园的基地。每天天还没亮，

本文作者王树槐，选作课文时有改动。

父亲就扛着锄头、挑起篼(yuān)箕(jī)上山去，直到傍晚，才挑着一担柴草回家来。一个星期过去，展现在我们面前的，是足有三四分翻过的黄土地。

父亲还没来得及整理他新辟的菜园，一场暴雨说来就来了。那天，父亲正在吃午饭，把碗一丢，抓起铁锨(xiān)就冲进了暴雨中……可是，山坡菜地里那薄薄的一层泥土，已经被大雨冲了个一干二净，露出大块大块狰(zhēng)狞(níng)的岩石。

父亲没有气馁(něi)，他在坡地的边缘砌了一道矮墙，再从山脚下把土一筐(kuāng)一筐挑上去，盖住了那可怖(bù)的岩石。父亲的双肩红肿(zhǒng)，脚板也磨起了泡。看着新菜园终于被开出来了，父亲笑了。

春天到了，父亲在他的新菜园里，种上了豌(wān)豆。望着这一块贫瘠(jí)的土地，我问父亲："豌豆真的能长出来吗？"

父亲摸摸我的后脑勺，信心十足地说："当然能！"

我似信非信地点点头。没过多久，种子发芽、出苗，菜园里长出了一片绿绿的豌豆。

就在我做着吃香喷喷的炒豌豆的美梦时，父亲却把那一片豌豆全翻在泥土里。我有些疑惑不解。父亲说："我们不能光顾眼前，也真难为了这片荒地，它是拼了命才养出这一片豌豆来的。就这样榨(zhà)干它，以后就别想吃瓜吃菜了。这一季豌豆就用来肥土吧。"

以后的日子，我们便四处拾粪。有时候我在山坡上放牛，尿憋(biē)急了，父亲也要我跑到菜地里去撒。在父亲的精心伺(cì)候下，原本贫瘠的死黄土，变得黑亮，锄头挖下去，还能翻出蚯蚓来呢。远远望去，父亲的菜园就像一块碧绿的翡翠，嵌在荒凉的山坡上。

直到现在，那一块坡地，仍是我家的菜园。春有菠菜、莴(wō)笋，夏有黄瓜、茄子，秋有辣椒、南瓜，冬有萝卜、白菜。一年四季，都是一片诱(yòu)人的翠绿。

婴 毅 筐 怖 肿 榨 憋 诱

词语盘点

读读写写

辩论　寻常　解答　信奉　违背　曾经
拖住　解释　教授　宣布　固执　栏杆
罢了　境界　绣花　厂徽　聋哑人
胆大妄为　清澈见底　赏心悦目　一丝不苟
融为一体

读读记记

邀请　挚友　塑像　祝贺　杰作　诞生
打扰　异样　激烈　交谈　径自　猛然
抱歉　见怪　感触　舒畅　疑惑　坚毅
平缓　边缘　可怖　红肿　榨干　荒凉
诱人　雕塑家　香喷喷　全神贯注　仪态端庄
莫名其妙　信心十足　疑惑不解

语文园地七

口语交际·习作

我敬佩的一个人

在我们身边，有很多值得敬佩的人。他可能是每天利用业余时间刻苦学习外语的妈妈，也可能是苦练书法的小伙伴；可能是不畏(wèi)寒暑、默默工作的清洁工人，也可能是自强不息、努力拼搏的叔叔、阿姨……选择其中的一位，通过具体事例，夸夸他们执著追求的精神。如果你觉得他的其他品质令你敬佩，也可以说一说。要把事情说清楚，表达出自己的敬佩之情。

在口语交际的基础上，写一篇习作，要把自己所写的人的精神风貌表现出来。内容要具体，语句要通顺。写完以后要认真修改。

我的发现

- 罪恶的子弹还威胁着娇嫩的"和平之花"。

- 说他"特别",因为他爱鱼到了忘我的境界。

- 他在学校念书的时候,同学们就称他为"辩论家"。

- 像这样一条多灾多难的祸河,怎么能成为中华民族的"摇篮"呢?

我发现这几句话中引号的作用分别是……

日积月累

		rèn	
雄心壮志	坚定不移	坚韧不拔	自强不息
聚沙成塔	集腋成裘	持之以恒	全力以赴
知难而进	无坚不摧	知难而退	碌碌无为
一曝十寒	寸进尺退	有始无终	半途而废

集腋成裘(yè qiú)　全力以赴(fù)　无坚不摧(cuī)　碌碌无为(lù)　半途而废(fèi)

成语故事 鹏(péng)程万里

　　传说远古时候，在遥远的北海有一条特别大的鱼，它的名字叫做鲲(kūn)。鲲身宽几千里，至于身长有多少，那就没人知道了。

　　后来，鲲变成了一只大鸟，名字叫做鹏。大鹏鸟的背像泰山那样高，飞起来的时候，它的翅膀遮天蔽日。有一次，大鹏鸟向南海飞去。它在南海海面上击水而行，一下就是三千里。它向高空飞去，卷起一股暴风，一下子就飞出九万里。它飞出去，要过半年才能飞到南海休息。当它在高空飞行的时候，背靠青天，云层却在它的下边。

　　生活在洼地里的小鹌(yàn)雀，看见大鹏鸟飞得这么高，这么远，很不理解，就说："我们往上飞，不过几丈高就落下来了，飞过树梢也就算最高了。大鹏鸟为什么要飞向九万里以外的远方呢？"

　　你是不是还记得，在妈妈的怀里，在奶奶的膝前，在学校的阅览室中，听故事、读故事的美好情景？故事曾经给我们带来多少快乐呀！让我们随着本组课文的学习，走进故事长廊，感受它的魅(mèi)力，体会其中的道理。我们还要练习复述，并搜集一些故事，让故事长廊变得更加丰富多彩！

29 寓言两则

纪昌学射

飞卫是一名射箭能手。有个叫纪昌的人，想学习射箭，就去向飞卫请教。

开始练习的时候，飞卫对纪昌说："你要想学会射箭，首先应该下功夫练眼力。眼睛要牢牢地盯住一个目标，不能眨一眨！"纪昌回家之后，就开始练习起来。妻(qī)子织布的时候，他躺在织布机下面，睁大眼睛，注视着梭子来回穿梭。两年以后，纪昌的本领练得相当到家了——就是有人用针刺他的眼皮，他的眼睛也不会眨一下。

纪昌对自己的成绩感到很满意，以为学得差不多了，就再次去拜见飞卫。飞卫对他说："虽然你已经取得了不小的成绩，但你的眼力还不够。等到练得能够把极小的东西，看成一件很大东西的时候，你再来见我吧！"纪昌记住了飞卫的话，回到家里，又开始练习起来。他用一根长头发，绑住一只虱(shī)子，把它吊在窗口，然后每天站在虱子旁边，聚精会神地盯着它。那只小虱子，在纪昌的眼里一天天大起来，练到后来，大得竟然像车轮一样。

　　取得了这样大的进步，纪昌赶紧跑到飞卫那里，报告了这个好消息。飞卫高兴地拍拍他的肩头，说："你就要成功了！"于是，飞卫开始教他怎样开弓，怎样放箭。

　　后来，纪昌成了百发百中的射箭能手。

扁鹊治病

有一天，名医扁鹊去拜见蔡(cài)桓(huán)公。

扁鹊在蔡桓公身边站了一会儿，说："大王，据我看来，您皮肤上有点小病。要是不治，恐怕会向体内发展。"蔡桓公说："我的身体很好，什么病也没有。"扁鹊走后，蔡桓公对左右的人说："这些做医生的，总喜欢给没有病的人治病。医治没有病的人，才容易显示自己的高明！"

过了十来天，扁鹊又来拜见蔡桓公，说道："您的病已经发展到皮肉之间了，要不治还会加深。"蔡桓公听了很不高兴，没有理睬(cǎi)他。扁鹊又退了出去。

十来天后，扁鹊再一次来拜见，对蔡桓公说："您的病已经发展到肠胃里，再不治会更加严重。"蔡桓公听了非常不高兴。扁鹊连忙退了出来。

又过了十几天，扁鹊老远望见蔡桓公，只看了几眼，就掉头跑了。蔡桓公觉得奇怪，派人去问他："扁鹊，你这次见了大王，为什么一声不响，就悄悄地跑掉了？"扁鹊解释道："皮肤病用热水敷(fū)烫(tàng)就能够治好；发展到皮肉之间，用扎针的方

法可以治好；即使发展到肠胃里，服几剂(jì)汤药也还能治好；一旦深入骨髓(suǐ)，只能等死，医生再也无能为力了。现在大王的病已经深入骨髓，所以我不再请求给他医治！"

五六天之后，蔡桓公浑身疼痛，派人去请扁鹊给他治病。扁鹊早知道蔡桓公要来请他，几天前就跑到秦国去了。不久，蔡桓公病死了。

我想对蔡桓公说……

妻　虱　蔡　睬　烫　剂

| 昌 | 妻 | 刺 | 绑 | 扁 | 鹊 |
| 蔡 | 睬 | 肠 | 胃 | 烫 | 剂 | 汤 |

这两则寓言对我很有启发，我要多读几遍，特别要读好人物的对话。

读了课文，我有一些问题想和大家讨论，如，飞卫为什么先要纪昌练习眼力呢？这两则寓言给了我们什么启发？

联系上下文，我从句子中体会到了人物的想法，如，"扁鹊老远望见蔡桓公，只看了几眼，就掉头跑了。"我们来找找类似的句子，体会体会。

我要再找一些寓言故事读一读。

《纪昌学射》和《扁鹊治病》是两则引人深思的寓言故事。下面的这个故事，是一个民间传说，它又会让我们想到什么呢？默读课文，了解故事的经过，再把这个故事简要地讲给别人听。

30* 文成公主进藏

唐朝的时候，青藏高原上有一个地方叫吐蕃(bō)，在今天的西藏一带。吐蕃有个年轻的首领，叫松赞干布，他听说唐朝皇帝有个女儿叫文成公主，既漂亮又聪明，就派大臣(chén)到唐朝国都去求婚(hūn)。

唐朝皇帝接见了吐蕃的使臣，想试一试他的智慧。他派人牵来一百匹小马和一百匹母马，让使臣

本文选自《藏族民间故事选》，上海文艺出版社出版。

认出哪一匹小马是哪一匹母马生的。使臣一点儿也不着急。他先把小马和母马分开，分别拴在两个地方过夜。第二天早上，他把一匹母马放到小马群里，小马一见自己的妈妈来了，立刻就跑过去吃奶。这样一匹一匹地放母马，每匹小马很快地找到了自己的妈妈。

接着又来了五百个姑娘，她们穿着一样的衣服，头上戴着一样的花。皇帝让使臣认出哪一个是文成公主。使臣看过每一个姑娘，发现有两只蜜蜂总是在一个姑娘的头上飞来飞去。他仔细一看，原来这个姑娘头上戴的是鲜花，其他姑娘戴的都是绢(juàn)花。他断定这个戴鲜花的姑娘一定是文成公主。

唐朝皇帝见这些都难不住吐蕃的使臣，心里

很高兴。他想：一个使臣都这么聪明能干，不用说，他们的首领就更聪明能干了，于是就答应了松赞干布的请求。

文成公主出发去吐蕃了。她从京城带上青稞(kē)、豌(wān)豆、油菜、小麦、荞(qiáo)麦等种子和各种耕种技术，还有许多铁匠、木匠、石匠，也跟着文成公主一起进藏了。

半路上，文成公主在一个叫路纳的地方遇到了一条河，过不去。公主找了一段树干横在上面，搭了一座桥。后来，老百姓就把公主亲手搭的这座桥叫做"内地桥"。文成公主过河以后，一只小鸟飞来，说："公主，公主，这儿是片沼(zhǎo)泽地，不好走。"文成公主听了，剪了一把羊毛撒在地上，就走过去了。大家说，因为文成公主撒了这把羊毛，所以路纳这个地方的牛羊一直都长得又肥又壮。

文成公主到了达尤龙真这个地方的时候，可恶[wù]的乌鸦飞来说了坏话。它问："公主，你要到哪儿去呀？"

文成公主说："我要去找松赞干布。"

"哎呀，松赞干布已经死了，你还去干什么？"

公主听说松赞干布死了，心里有说不出的难过。她就在达尤龙真修了一座石屋子住了下来，还咬破了指头，在石壁上写了血书来纪念松赞干布。公主心里难过，没有心思梳妆，右边的头发散了也不理会。因此，这个地方北岸的树木稀，南岸的树木密，两边长得不一样。

过了一些日子，文成公主想：即使松赞干布真的去世了，我也要去看看！碰巧这个时候，神鸟天鹅从远方飞来，说："公主，公主，不要难过，快到拉萨去吧，松赞干布的身体很健康！公主，公主，快到拉萨去吧，一切都会吉(jí)祥(xiáng)如意！"文成公主听了，十分感激神鸟天鹅，马上就动身前往拉萨。

走着走着，乃巴山又把路挡住了，大家走起来很不方便。文成公主就把乃巴山背到旁边去。直到现在，乃巴山下还有公主的脚印。

就这样，文成公主和她的随从们，跨过一条条大河，翻过一座座高山，走了一程又一程，终于来到了西藏。年轻的松赞干布在拉萨隆重地迎接这位美丽的公主，和她结成了夫妻。

从此，西藏和内地的往来更加密切了！也就是从那时候起，西藏有了五谷，老百姓学会了耕种和其他技艺。

臣 婚 绢 豌 沼 吉 祥

我还读过民间故事《一幅壮锦》和《猎人海力布》呢！

31   普罗米修斯

　　很久很久以前，地面上没有火，人们只好吃生的东西，在无边的黑暗中度过一个又一个长夜。就在这时候，有一位名叫普罗米修斯的天神来到了人间，看到人类没有火的悲惨情景，决心冒着生命危险，到太阳神阿波罗那里去拿取火种。

　　有一天，当阿波罗驾着太阳车从天空中驰过的时候，他跑到太阳车那里，从喷射着火焰的车轮上，拿取了一颗火星，带到人间。自从有了火，人类就开始用它烧熟食物，驱寒取暖，并用火来驱赶危害人类安全的猛兽……

　　众神的领袖(xiù)宙斯得知普罗米修斯从天上取走火种的消息以后，气急败坏，决定给普罗米修斯以最严厉的惩罚，吩(fēn)咐火神立即执行。

　　火神很敬佩普罗米修斯，悄悄对他说："只要你向宙斯承认错误，归还火种，我一定请求他饶恕(shù)你。"

我知道火神为什么敬佩普罗米修斯。

　　普罗米修斯摇摇头，坚定地回答："为人类造

福，有什么错？我可以忍受各种痛苦，但决不会承认错误，更不会归还火种！"

火神不敢违抗宙斯的命令，只好把普罗米修斯押(yā)到高加索山上。普罗米修斯的双手和双脚戴着铁环，被死死地锁在高高的悬崖上。他既不能动弹，也不能睡觉，日夜遭受着风吹雨淋的痛苦。尽管如此，普罗米修斯就是不向宙斯屈服。

狠(hěn)心的宙斯又派了一只凶恶的鹫(jiù)鹰，每天站在普罗米修斯的双膝上，用它尖利的嘴巴，啄食他的肝(gān)脏[zàng]。白天，他的肝脏被吃光了，可是一到晚上，肝脏又重新长了起来。这样，普罗米修斯所承受的痛苦，永远没有尽头了。

许多年来，普罗米修斯一直被锁在那个可怕的悬崖上。

有一天，著名的大力神赫(hè)拉克勒(lè)斯经过高加索山，他看到普罗米修斯被锁在悬崖上，心中愤愤不平，便挽(wǎn)弓搭箭，射死了那只鹫鹰，接着又用石头砸碎了锁链。普罗米修斯——这位敢于从天上拿取火种的英雄，终于获得了自由。

袖	吩	怒	押	狠	肝	挽

焰	驱	袖	败	罚	佩	饶
抗	押	锁	狠	膝	肝	脏

📖 这个故事真感人，我要多读几遍。

🎤 我们来交流交流：普罗米修斯最让我们佩服的是什么？

🐟 我从一些语句中体会到了人物的心情，如，"宙斯得知普罗米修斯从天上取走火种的消息以后，气急败坏，决定给普罗米修斯以最严厉的惩罚"。让我们从课文中找找类似的句子，体会体会，再抄下来。

资料袋

　　普罗米修斯是古希腊神话中的一个神。在古希腊神话中，还有众神之王宙斯，太阳神阿波罗，海神波塞冬，冥(míng)王神哈得斯，智慧女神雅典(diǎn)娜等。关于他们的神话和传说有很多，比如，金羊毛的故事、特洛亚战争的故事、俄狄(dí)浦(pǔ)斯王的故事、忒(tè)修斯为民除害的故事，都很吸引人。

面对宙斯的最严厉的惩罚，普罗米修斯没有害怕和屈服，他的勇敢和献身精神真让我们感动。下面的课文讲述的是发生在渔夫和魔鬼之间的故事。认真默读课文，看看在比自己不知强大多少倍的魔鬼面前，渔夫是怎样做的，大家一起来交流交流阅读的体会，再把这个故事简要地讲给家人听。

32* 渔夫的故事

　　从前有一个渔夫，家里很穷。他每天早上到海边去捕鱼，但是他自己立下一条规矩(jǔ)，每天至多撒[sā]四次网。

　　有一天早上，撒了三次网，什么都没捞(lāo)着，他很不高兴。第四次把网拉拢来的时候，他觉得太重了，简直拉不动。他就脱了衣服跳下水去，把网拖上岸来。打开网一看，发现网里有一个黄铜胆瓶，瓶口用锡(xī)封着，锡上盖着所罗门的印。

　　渔夫一见，笑逐颜开："我把这瓶子带到市上去，可以卖十块金币(bì)。"他抱着胆瓶摇了一摇，觉得很重，里面似乎塞[sāi]满了东西。他自言自语：

"这个瓶里到底装的什么东西？我要打开来看个清楚，再拿去卖。"他从腰带上拔出小刀，撬(qiào)去瓶口上的锡封，然后摇摇瓶子，想把里面的东西倒出来，但是什么东西也没有。他觉得非常奇怪。

隔了一会儿，瓶里冒出一股青烟，飘飘荡荡地升到空中，继而弥漫在大地上，逐渐凝成一团，最后变成个巨大的魔鬼，披头散发，高高地耸立在渔夫面前。魔鬼头像堡垒，手像铁叉(chā)，腿像桅(wéi)杆，口像山洞，牙齿像白石块，鼻孔像喇叭，眼睛像灯笼，样子非常凶恶。

渔夫一看见这可怕的魔鬼，呆呆地不知如何应付。一会儿，他听见魔鬼叫道："所罗门啊，别杀我，以后我不敢再违背您的命令了！"

"魔鬼！"渔夫说道，"所罗门已经死了1800年了。你是怎么钻到这个瓶子里的呢？"

一听所罗门早死了，魔鬼立刻凶恶地说："渔夫啊，准备死吧！你选择怎样死吧，我立刻就要把你杀掉！"

"我犯了什么罪？"渔夫问道，"我把你从海里捞上来，又把你从胆瓶里放出来，救了你的命，你为什么要杀我？"

魔鬼答道："你听一听我的故事就明白了。"

"说吧，"渔夫说，"简单些。"

"你要知道，"魔鬼说，"我是个无恶不作的凶神，曾经跟所罗门作对，他派人把我捉去，装在这个胆瓶里，用锡封严了，又盖上印，投到海里。我在海里呆着，在第一个世纪里，我常常想：'谁要是在这个世纪里解救我，我一定报答他，使他终身享受荣华富贵。'100年过去了，没有人来解救我。第二个世纪开始的时候，我说：'谁要是在这个世纪里解救我，我一定报答他，把全世界的宝库都指点给他。'可是没有人来解救我。第三个世纪开始的时候，我说：'谁要是在这个世纪里解救我，我一定报答他，满足他的三种愿望。'可是整整过了400年，始终没有人来解救我。我非常生气，我说：'从今以后，谁要是来解救我，我一定要杀死他，不过允许他选择怎样死。'渔夫，现在你解救了我，所以我叫你选择你的死法。"

渔夫叫道："好倒霉(méi)啊，碰上我来解救你！是我救了你的命啊！"

"正因为你救了我，我才要杀你啊！"

"好心对待你，你却要杀我！老话确实讲得不错，真是'恩将仇(chóu)报'！"

"别再啰(luō)唆(suō)了，"魔鬼说道，"反正你是

非死不可的。”

这时候渔夫想道：“他是个魔鬼，我是个堂堂的人。我的智慧一定能压制他的妖(yāo)气。”于是对魔鬼说：“你决心要杀我吗？”

“不错。”

“凭着神的名字起誓(shì)，我要问你一件事，你必须说实话。”

“可以，”魔鬼说，“问吧，要简短些。”

“你不是住在这个胆瓶里吗？照道理说，这个胆瓶既容不下你一只手，更容不下你一条腿，怎么容得下你这样庞大的整个身体呀？”

“你不相信我住在这个胆瓶里吗？”

“我没有亲眼看见，绝对不能相信。”

这时候，魔鬼摇身一变，变成一团青烟，逐渐缩成一缕，慢慢地钻进胆瓶。渔夫见青烟全进了胆瓶，就立刻拾起盖印的锡封，把瓶口封上，然后学着魔鬼的口吻大声说：“告诉我吧，魔鬼，你希望怎样死？现在我决心把你投到大海里去。”

魔鬼听了渔夫的话，就说：“渔夫，刚才我是跟你开玩笑的。”

“下流无耻的魔鬼，你这是说谎呀！”渔夫一边把胆瓶挪近岸边，一边说，“我要把你投到海里，这一回非叫你在海里住一辈子不可。我知道你是坏透了的。我不仅要把你投到海里，还要把你怎样对待我的事告诉世人，叫大家当心，捞着你就立刻把你投回海里去，让你永远留在海里！"

渔夫用自己的智慧战胜了魔鬼，真了不起！

矩 捞 锡 币 叉 霉 仇 誓

资料袋

《渔夫的故事》选自古代阿拉伯著名的民间故事集《一千零一夜》。这本书又叫《天方夜谭(tán)》，是由264个小故事组成的。著名的《阿里巴巴和四十大盗的故事》《三个苹果的故事》《辛伯达航海旅行的故事》《阿拉丁和神灯的故事》，都出自这本书。《一千零一夜》被誉为世界民间文学创作中的"最壮丽的一座纪念碑"。

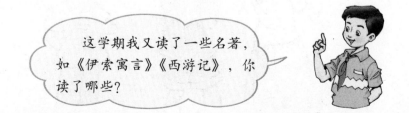

这学期我又读了一些名著，如《伊索寓言》《西游记》，你读了哪些？

词语盘点

读读写写

妻子　　拜见　　理睬　　肠胃　　汤药　　医治
喷射　　火焰　　驱赶　　领袖　　惩罚　　敬佩
火种　　造福　　违抗　　狠心　　双膝　　啄食
肝脏　　纪昌学射　　百发百中　　扁鹊治病
无能为力　　驱寒取暖　　气急败坏

读读记记

唐朝　　西藏　　大臣　　求婚　　断定　　豌豆
耕种　　沼泽　　技艺　　吩咐　　饶恕　　规矩
胆瓶　　金币　　堡垒　　铁叉　　违背　　解救
倒霉　　起誓　　简短　　口吻　　吉祥如意
挽弓搭箭　　笑逐颜开　　披头散发　　无恶不作
荣华富贵　　恩将仇报　　下流无耻

语文园地八

口语交际　　　　向你推荐一本书

　　随着年级的升高，我们读过的书也在不断增多。这些书中，可能有像《西游记》《水浒(hǔ)传》那样的我国古典名著，也可能有像《一千零一夜》《格林童话》那样的外国经典作品……你都读过哪些书呢？从自己读过的书里，挑选一本喜欢的向同学推荐。

　　我们可以说说书的主要内容，也可以谈谈这本书给自己印象最深的一个或几个部分，还可以说说读了这本书的感想。听别人介绍的时候，可以提出问题；要是看过同样的书，可以补充谈谈自己的看法。最后评一评谁说得清楚、明白。

习作

　　这个学期很快就要过去了。除了我们在习作中已经写的那些内容，大家心里可能还有很多想写而没写的内容。这次习作就让我们自由表达。可以结合本组课文的学习，写一写听别人或给别人讲故事的情景；可以发挥自己的想象，编个寓言或童话；可以写一写自己的梦想或希望；可以把自己关注的人和事写进习作……总之，我们可以采用不同的形式，自由地表达自己想写的内容。在习作前，先认真想一想，自己最想写什么。写的时候要把内容写清楚，学习运用平时积累的语言材料。

我的发现

　　小林：小东，你把课文的主要内容说得这么清楚、
　　　　　明白，有什么好方法吗？

　　小东：有。我先把课文读两遍，对课文内容有个大
　　　　　致的了解，再一部分一部分认真地阅读，了
　　　　　解每一部分主要讲了什么，然后把各个部
　　　　　分的主要意思连起来，就抓住了课文的主
　　　　　要内容。

　　小林：你能举个例子吗？

小东：就拿读《普罗米修斯》来说吧，初读课文，知道讲的是普罗米修斯为人类拿取火种而受到宙斯惩罚的事。再一部分一部分认真地阅读，知道第一部分讲的是天神普罗米修斯冒着生命危险拿取火种给人类；第二部分讲众神领袖宙斯知道后要惩罚普罗米修斯，火神不敢违抗命令，只得将他锁在悬崖上，普罗米修斯受尽了折磨；第三部分讲大力神赫拉克勒斯救了普罗米修斯，使他获得了自由。然后把以上三部分的大意连起来，就抓住了主要内容。

小林：这个办法真不错，在今后的阅读中我也要试一试。

日积月累

- 水滴石穿——非一日之功
- 早开的红梅——一枝独秀
- 砌墙的石头——后来居上
- 关羽失荆州——骄兵必败
- 王羲(xī)之写字——入木三分
- 周瑜(yú)打黄盖——一个愿打，一个愿挨

趣味语文

趣联巧对

一

　　唐伯虎和祝枝山因事来到乡村，看到农夫车水，祝枝山脱口说出了上联："水车车水，水随车，车停水止。"唐伯虎当即对出下联："风扇扇风，风出扇，扇动风生。"这副对联，对得工整巧妙，被传诵(sòng)一时。

二

　　相传清代的乾(qián)隆皇帝宴(yàn)请群臣，他指着一位一百四十一岁的老者出了上联："花甲重逢，增加三七岁月。""花甲"是六十岁，"花甲重逢"是两个六十岁，再加上"三七"二十一年，恰好是一百四十一岁。有个叫纪晓岚(lán)的学者灵机一动，对出下联："古稀双庆，更多一度春秋。""古稀"指七十岁，"古稀双庆"指两个七十岁，再加上"一度春秋"，也就是一年，正好是一百四十一岁。这副对联称得上是绝妙的"数字对联"了。

1 趵 突 泉

千佛山、大明湖和趵突泉，是济南的三大名胜，现在单讲趵突泉。

在西门外的桥上，便看见一溪活水，清浅，鲜洁，由南向北流着。这就是由趵突泉流出来的。假如没有这泉，济南定会丢失一半的美。

泉太好了。泉池是差不多见方的，三个泉口偏西，北边便是条小溪，流向西门去。看那三个大泉，一年四季，昼夜不停，老那么翻滚。你立定呆呆地看三分钟，便觉得自然的伟大，使你再不敢正眼去看。永远那么纯洁，永远那么活泼，永远那么鲜明，冒，冒，冒，好像永远不感到疲乏，只有自然有这样的力量！冬天更好，泉上起了一片热气，白而轻软，在深绿的长长的水藻上飘荡着，不由你不想起一种似乎神秘的境界。

池边还有小泉呢：有的像大鱼吐水，极轻快地上来一串水泡；有的像一串明珠，走到中途又歪下去，真像一串珍珠在水里斜放着；有的半天才上来一个水泡，大、扁一点，慢慢地，有姿态地摇动上来，碎了。看，又来一个！有的好几串小碎珠一齐挤上来，像一朵攒得很整齐的珠花，雪白；有的……这比那大泉还更有趣。

本文作者老舍。

2 △ 小 珊 迪

　　故事发生在爱丁堡。

　　有一天，天气很冷，我和一位同事站在旅馆门前谈话。

　　一个小男孩走过来，他身上只穿着一件又薄又破的单衣，瘦瘦的小脸冻得发青，一双赤着的脚冻得通红。他对我们说："先生，请买盒火柴吧！"

　　"不，我们不需要。"我的同事说。

　　"一盒火柴只要1个便士呀！"可怜的孩子请求着。

　　"可是，我们不需要火柴。"我对他说。

　　小男孩想了一会儿，说："我可以1便士卖给你们两盒。"

　　为了使他不再纠缠，我答应买一盒。可是在掏钱的时候，我发现身上没带零钱，于是对他说："我明天再买吧。"

　　"请您现在就买吧！先生，我饿极了！"男孩子乞求道，"我给您去换零钱。"

　　我给了他1先令，他转身就跑了，等了很久也不见他回来。我想可能上当了，但是看那孩子的面孔，看那使人信任的神情，我又断定他不是那种人。

本文作者是英国作家迪安·斯坦雷，选作课文时有改动。

晚上，旅馆的侍者说，有个小男孩要见我。小男孩被带进来了，我发现他不是卖火柴的那一个，但可以看出是那个男孩的弟弟。小男孩在破衣服里找了一会儿，然后才问："先生，您是向珊迪买火柴的那位先生吗？"

"是的。"

"这是您那个先令找回来的4个便士。"小男孩说，"珊迪受伤了，不能来了。一辆马车把他撞倒了，从他身上轧了过去。他的帽子找不到了，火柴也丢了。还有7个便士也不知哪儿去了。说不定他会死的……"

我让小男孩吃了些东西，跟着他一块儿去看珊迪。这时我才知道，他们俩是孤儿，父母早死了。可怜的珊迪躺在一张破床上，一看见我就难过地对我说："我换好零钱往回跑，被马车撞倒了，轧断了两条腿。我就要死了。可怜的小利比，我的好弟弟！我死了你怎么办呢？谁来照顾你呢？"

我握住珊迪的手，对他说："我会永远照顾小利比的。"

珊迪听了，目不转睛地看着我，好像表示感激。突然，他眼睛里的光消失了。他死了。

直到今天，谁读了这个故事不受感动呢？饱受饥寒的小珊迪的美好品质，将永远打动人们的心。

3　有趣的动物共栖现象

　　动物世界充满奇趣。有些动物凶猛强大，有些动物弱小无比，有的是巨兽，有的是小雀……从表面看，它们之间"水火不相容"，然而令人难以相信的是，它们居然能够朝夕与共，和睦相处。

　　生活在热带雨林沼泽地带的犀牛，身长约5米，高2米，重1吨以上，巨大的头上长着锐利无比的角。豹、狮和大象都不敢惹它，一种黑色的小鸟却可以在它的身上蹦来跳去，这里啄啄，那里啄啄。原来，犀牛的皮肤很厚，有很多皱褶。皱褶缝里面的皮肤很薄，常常钻进一些吸血的蝇、虻等昆虫。这些昆虫在里面产卵生蛆，搅得它寝食不安。犀牛背上的黑色小鸟，是在啄食寄生在犀牛身上的昆虫和蛆卵。所以，小黑鸟和大犀牛成了一对好朋友。人们把这种黑色的小鸟叫做"犀牛鸟"。犀牛鸟非常机灵，还能为犀牛放哨。周围一有异常的动静，它就惊飞起来，叫个不停，向犀牛报警。

　　鳄鱼是一种凶猛的爬行动物。非洲尼罗鳄最大的身长5米，重1吨以上。它可以把一头重几百公斤的野牛拖到水中淹死后吃掉。它用尾巴一扫，能把在河边喝水的羚羊打落水中。有谁想到，就是这样

本文作者张晓天，选作课文时有改动。

凶猛的动物却能够和一种叫燕千鸟的小鸟和睦相处。当地人经常可以看到鳄鱼在岸边张开大嘴巴，燕千鸟飞进飞出，鳄鱼丝毫不会伤害它们。原来，鳄鱼的牙缝里经常塞满残渣，牙齿和口腔又痛又痒，燕千鸟是在鳄鱼的嘴巴里为它剔牙。因此，燕千鸟也叫"牙签鸟"。有时燕千鸟不在它身边，鳄鱼的牙齿难受了，就会爬到岸上张开大嘴巴。附近树上的燕千鸟看见了，立即飞过来为鳄鱼剔牙。这样，燕千鸟吃饱了，鳄鱼的牙也不痛不痒了。

内蒙古大草原上的百舌鸟和金黄鼠也是一对"好朋友"。百舌鸟在草原上被称作第二百灵，歌声悦耳动听。春夏之季，百舌鸟到金黄鼠的洞穴里去产卵，在它的洞穴里孵卵育雏。一直到小百舌鸟飞出，这一对好朋友才分手。在孵卵育雏期间，它们相处得非常好，金黄鼠不但不伤害百舌鸟的卵和雏鸟，而且还替它照看着。金黄鼠收留百舌鸟，并非有利可图，只是喜欢听百舌鸟的歌声。闲暇时，它们玩得很开心，百舌鸟为金黄鼠唱歌，金黄鼠静静地听，高兴时还用两只后脚着地，跳起舞来。有时，百舌鸟落到金黄鼠的背上，用翅膀驱赶着它前进，金黄鼠猛地向洞里钻去，百舌鸟一收翅，就被金黄鼠驮进洞里去了。

4 黄继光

1952年10月，上甘岭战役打响了。这是朝鲜战场上最激烈的一次阵地战。

黄继光所在的营已经持续战斗了四天四夜；第五天夜晚接到上级的命令，要在黎明之前夺下被敌人占领的597.9高地。

进攻开始了，大炮在轰鸣。战士们占领了一个又一个山头，就要到达597.9高地的主峰了。突然，敌人一个火力点凶猛地射击起来。战士们屡次突击，都被比雨点还密的枪弹压了回来。

东方升起了启明星，指导员看看表，已经四点多了。如果不很快摧毁这个火力点，在黎明前就攻不下597.9高地的主峰，已经夺得的那些山头就会全部丢失。

黄继光愤怒地注视着敌人的火力点，他转过身来坚定地对指导员说："指导员，请把这个任务交给我吧！"指导员紧握着黄继光的手，说："好，我相信你一定能完成这个光荣而艰巨的任务。"

黄继光带上两个战士，拿了手雷，喊了一声："让祖国人民听我们胜利的消息吧！"便向敌人的火力点爬去。

敌人发现他们了。几发照明弹升上天空，黑夜变成了白天。炮弹在他们周围爆炸。他们冒着浓烟，冒着烈火，匍匐前进。一个战士牺牲了，另一个战士也负伤了。摧毁火力点的重任落在了黄继光一个人的肩上。

火力点里的敌人把机枪对准黄继光，子弹像冰雹一样射过来。黄继光肩上腿上都负了伤。他用尽全身的力气，更加顽强地向前爬，还有20米，10米……近了，更近了。

啊！黄继光突然站起来了！在暴风雨一样的子弹中站起来了！他举起右臂，手雷在探照灯的光亮中闪闪发光。

轰！敌人的火力点塌了半边，黄继光晕倒了。战士们赶紧冲上去，不料才冲到半路，敌人的机枪又叫起来，战士们被压在山坡上。

天快亮了，规定的时间马上到了。指导员正在着急，只见黄继光又站起来了！他张开双臂，向喷射着火舌的火力点猛扑上去，用自己的胸膛堵住了敌人的枪口。

"冲啊，为黄继光报仇！"喊声惊天动地。战士们像海涛一样向上冲，占领了597.9高地，消灭了阵地上的全部敌人。

5 生命的药方

　　德诺十岁那年因为输血不幸染上了艾滋病，伙伴们全都躲着他，只有大他四岁的艾迪依旧像从前一样跟他玩耍。离德诺家的后院不远，有一条通往大海的小河，河边开满了五颜六色的花朵，艾迪告诉德诺，把这些花草熬成汤，说不定能治他的病。

　　德诺喝了艾迪煮的汤身体并不见好转，谁也不知道他还能活多久。艾迪的妈妈再也不让艾迪去找德诺了，她怕一家人染上这可怕的病毒。但这并不能阻止两个孩子的友情。一个偶然的机会，艾迪在

本文作者胡建国，选作课文时有改动。

杂志上看见一则消息，说新奥尔良的费医生找到了能治艾滋病的植物，这让他兴奋不已。于是，在一个月明星稀的夜晚，他带着德诺，悄悄地踏上了去新奥尔良的路。

他们是沿着那条小河出发的。艾迪用木板和轮胎做了一只很结实的船。他们躺在小船上，听见流水哗哗的声响，看见满天闪烁的星星，艾迪告诉德诺，到了新奥尔良，找到费医生，他就可以像别人一样快乐地生活了。

不知走了多远的路，船破进水了，他们俩不得不改搭顺路汽车。为了省钱，他们晚上就睡在随身带的帐篷里。德诺的咳嗽又厉害起来，从家里带的药也快吃完了。这天夜里，德诺冷得直发颤，他用微弱的声音告诉艾迪，他梦见二百亿年前的宇宙了，星星的光是那么暗那么黑，他一个人待在那里，找不到回来的路。艾迪把自己的球鞋塞到德诺的手上，说："以后睡觉，就抱着我的鞋，想想艾迪的臭鞋在你手上，艾迪肯定就在附近。"

孩子们身上的钱差不多用完了，可离新奥尔良还有三天三夜的路。德诺的身体越来越弱，艾迪不得不放弃了计划，带着德诺又回到家乡。不久，德诺就住进了医院。艾迪照旧常常去病房看他。两个好朋友在一起时病房便充满了快乐。他们有时还会合伙玩装死游戏吓医院的护士，看见护士们上当的样子，两个人都会忍不住地大笑。艾迪给那家杂志写了信，希望他们能帮忙找到费医生，结果却杳无音信。

秋天的一个下午，德诺的妈妈上街去买东西了，艾迪在病房陪着德诺，夕阳照着德诺瘦弱苍白的脸。艾迪问他想不想再玩装死的游戏，德诺点点头。然而这回，德诺却没有在医生为他摸脉时忽然睁眼笑起来，他真的死了。

那天，艾迪陪着德诺的妈妈回家。俩人一路无语，直到分手的时候，艾迪才抽泣着说："我很难过，没能为德诺找到治病的药。"

德诺的妈妈泪如泉涌："不，艾迪，你找到了。"她紧紧地搂着艾迪，"德诺一生最大的病其实是孤独，而你给了他快乐，给了他友情，他一直为有你这个朋友而满足……"

三天后，德诺静静地躺在了长满青草的地下，双手抱着艾迪穿过的那双球鞋。

6 可爱的草塘

初到北大荒，我感到一切都不习惯。带去的几本书看完了，时间一长，觉得没意思。小丽好像看出了我的心思，笑嘻嘻地问我："姐夫，待腻了吧？我带你去散散心好吗？"

"上哪儿去？"

"到野地里去。不过你得紧跟着我走，俺这儿狼可多啦！"

我说："去就去，你不怕，我还能怕？"

说走就走。小丽挎着个篮子蹦蹦跳跳地在前边引路，不多时就来到草塘边上。这么大这么美的草塘，我还是第一次看到，走了进去就像置身于大海中一样，浪花翠绿翠绿的，绿得发光，绿得鲜亮，欢笑着，翻滚着，一层赶着一层涌向远方。仔细瞧那浪花，近处的呈鲜绿色，远一点儿的呈翠绿色，再远的呈墨绿色，一层又一层，最后连成一片，茫茫的跟蓝天相接。

我情不自禁地说："这草塘真美啊！"

"那当然！'棒打狍子瓢舀鱼，野鸡飞到饭锅里'，你听说过吧。可惜你来的不是时候。要是春

本文作者刘国林，选作课文时有改动。

天，小草刚发芽，河水刚开化，藏了一冬的鱼都从水底游上来了。开河的鱼，下蛋的鸡，肉最香不过了！今年春天给你们邮的鱼干，一点儿不掺假，都是我用瓢舀的。"

看着小丽那自豪的模样，我故意逗她："别光说美的，若是冬天呢，天天刮大风，冻得人出不去屋……"

"冬天？冬天更好玩啦！穿得像个棉花包似的，戴上皮帽子、皮手套，提着根棍子到草塘里去逮野鸡，追狍子。天越冷越好，冻得野鸡连眼睛都睁不开。它冷极了就把头往雪里扎，你走到它跟前，像拔萝卜似的，一下就把它拔出来了。别看狍子跑得快，在雪地就不行了，腿陷在雪坑里再也拔不出来，眼睁睁地让人逮！"

"哦，你这么一说，北大荒好得哪儿也比不上啦？"

"就是哪儿也比不上！"

"那你说说，现在怎么个好法？"

"你自己看嘛！给你一说就没意思了。"小丽知道我又逗她，故意关上了话匣子。

往前没走多远，就听到小丽喊："快来呀，姐夫。"我跑到眼前，扒开草丛一看，是个不大的水泡子，水面上波光粼粼，仔细一看，挤挤挨挨的都是鱼。我不禁惊叫起来："啊，这么多鱼！"连忙脱掉鞋袜，跳进没膝盖深的水里逮起来。筷子长的鲇鱼，手掌宽的鲫鱼，一条又一条不住地往岸上抛。小丽不住地往篮子里拾。我逮着逮着，忽然哗啦啦一阵水点儿落在我的脸上和身上。下雨了吗？我抬头一看，是小丽捣的鬼！她淘气地笑着："你真是贪心不足哇，篮子都满了，再往哪儿装呀？"

我恋恋不舍地上了岸。小丽问我："你知道这鱼是哪儿来的吗？"

"那还用问，有水就有鱼嘛！"

"我是问你这里有河没有？"

我举目四望，茫茫的一片草塘，哪里有什么河呀？小丽紧走几步，拨开眼前的芦苇。啊，一条清澈的小河奇迹般地出现在我的眼前。芦苇和蒲草倒映在清凌凌的河水里，显得更绿了；天空倒映在清凌凌的河水里，显得更蓝了；云朵倒映在清凌凌的河水里，显得更白了。

我朝前紧走几步，想捧起这清凉的河水痛痛快快地洗一洗脸。但是我犹豫了，生怕弄坏了这一幅美好的画卷。

7 到期归还

毛泽东主席闲暇时，喜欢欣赏、临摹名家碑帖，书法造诣很高。他的行草遒劲奔放，自由洒脱，自成一家。

有一次，毛主席听说黄炎培先生收藏了一本东晋大书法家王羲之的真迹，兴奋极了，迫不及待地要借来看看。黄炎培当然舍不得将真迹轻易出借，可是毛主席要借，他不好意思拒绝，于是就和主席讲好：只借一个月，到期归还。

字帖借出去后，黄炎培心里老惦记着这件事。要知道，王羲之的真迹可是世间罕有呀！

好不容易过了一个星期，黄炎培就给毛主席的警卫室打电话，询问主席是否看完了字帖。值班警卫员很有礼貌地告诉他还没有。

过了两天，黄炎培又打电话询问，警卫员告诉他，主席还在看，看完了会立刻把字帖给他送去。可黄炎培总是感到心里不踏实。

又过了几天，黄炎培实在忍不住了，就直接把电话打到了主席那儿。电话里，他先讲了一些其他

本文作者王江丽，选作课文时有改动。

事情，转了半天圈子，才说："主席，我……那本王羲之的字帖……您看好了吗？"

毛主席接完电话，不禁笑起来，对身边的人说："他可是个急脾气。难道还不相信我吗？讲好了一个月归还，如果到期不还，那是我失信；可是现在期限还没到，他就来催要，那是他不守信用了。"

话虽然这么说，其实毛主席很能理解读书人爱书如命的心情，他自己对书也是百般呵护的。战争期间，毛主席转战南北，曾经舍弃了许多物品，他的藏书却舍不得丢掉。所以，他对黄炎培催要字帖并不介意。

一个月的期限到了，毛主席亲手把字帖包好，让警卫员给黄炎培送去，并叮嘱道："一定要尽快送到黄先生手上。"

再说黄炎培，他为自己先前的做法有点不安，就又打来电话，说："主席如果还想看，不妨再多看几天。"

警卫员立刻把黄先生的话转告主席。毛主席却说："谢谢他的好意，还是把字帖送去吧！讲好了一个月就一个月，做任何事情都要讲信用。"

8　武夷山和阿里山的传说

很久以前，东南沿海的武夷山是和台湾的阿里山连在一起的。那时漫山遍野的果树上挂满了果子，山下是肥沃的土地。那里的人们过着幸福的生活。

可是有一年，山里来了一个妖怪，占据了整个大山。从此，山上的树木死了，小溪没水了，肥沃的土地也干裂了。人们只好拖儿带女，离开了世代生活的故乡。

在大山的西边住着母女二人。母亲勤劳善良，女儿花珊十九岁，美丽、聪明又勇敢。花珊看到人们被妖怪害得生活不下去，心里很难过。她决心除掉妖怪。于是，她开始苦练本领。经过九九八十一天，终于练就了高超的射箭本领和一手好刀法。

一天，花珊告别妈妈，要上山去除妖了。妈妈拉着她的手，说："女儿啊，妈不拦你，可是千万要小心啊！你除掉了妖怪，就赶快回家。"花珊姑娘也含着泪说："妈妈放心，我除了妖怪，马上就回来，永远和妈妈生活在一起。"说着便离开了家。

这天晚上，乌云遮住了月亮，姑娘紧握弓箭，向山上走去。突然，她发现不远的山顶上，有两道绿光渐渐向她靠来。姑娘断定这就是妖怪，于是搭上箭，用力朝绿光射去。妖怪被射中了眼睛，痛得直打滚。花珊跳到妖怪身上，举起大刀，朝它的脖子使劲砍去，直砍得妖怪乱蹦乱跳。忽然，她觉得大地在向下陷，只听一声巨响，高大的武夷山断为两半，中间出现了一条很深的沟，妖怪"轰"的一声，掉到了沟底。花珊一下子跳到了山的东边。这时，奔腾的海水涌进了大沟，形成了台湾海峡。那断裂的大山，西边就是现在的武夷山，东边就是现在台湾的阿里山。

这以后，树木、瀑布、土地又苏醒了，人们重新过上了幸福的生活。可是海水却把花珊和妈妈隔开了。

妈妈爬上高高的武夷山顶，盼望女儿能早一天回到自己的身边。然而，一天天过去了，女儿没有回来。妈妈渐渐变成了一块巨大的岩石，高高地立在武夷山上。

女儿被隔到海的东面，也时时想念着母亲。她站在阿里山的山顶上，望啊望啊，可是怎么也望不到妈妈。天长日久，她变成了一棵红桧树。红桧树每天、每月、每年都在不停地生长着。这棵红桧树就被人们叫做阿里山的思母树。据说，日月潭水就是女儿想念母亲流下的眼泪！

生 字 表 （一）

1 螺(luó) 谙(ān)

2 澜(lán) 瑕(xiá) 翡(fěi) 峦(luán) 骆(luò) 驼(tuó) 兀(wù) 绵(mián)

3 浙(zhè) 臀(tún) 稍(shāo) 额(é) 蜿(wān) 蜒(yán)

4 缎(duàn) 涧(jiàn) 俯(fǔ) 皑(ái) 蹄(tí) 溅(jiàn) 延(yán) 鞍(ān)

5 拮(jié) 寐(mèi) 驰(chí) 馈(kuì) 惑(huò) 捎(shāo)

6 巷(xiàng) 津(jīn) 损(sǔn) 晾(liàng) 签(qiān) 耽(dān) 甩(shuǎi) 赚(zhuàn)

7 沃(wò) 呈(chéng) 惫(bèi) 堪(kān) 杰(jié) 捶(chuí)

9 幼(yòu) 侦(zhēn) 嘲(cháo) 愚(yú) 蠢(chǔn) 吁(xū) 彻(chè)

10 祸(huò) 乃(nǎi) 侵(qīn) 蚀(shí) 垦(kěn) 亩(mǔ) 营(yíng) 扣(kòu)

11 蝙(biān) 蝠(fú) 蛾(é) 铛(dāng) 揭(jiē) 碍(ài) 荧(yíng)

12	yāng 殃	zhǒu 帚	fǔ 腐	rǎng 壤	yì 翼	lüè 略	jiàn 键	jīng 鲸
13	xiè 屑	tǐng 挺	nǐng 拧	mó 蘑	guǐ 鬼	shēn 呻	yín 吟	wǎn 宛
14	jìn 晋	jì 冀	xù 絮	xiā 瞎	wāi 歪	nuó 挪	zhěn 枕	pī 劈
15	zhuó 卓	kuī 盔	kǎi 凯	wàn 腕	zhù 驻	mí 弥	xié 胁	
16	wèi 蔚	yì 弋	pín 频	yīn 茵				
17	chàng 畅	kē 磕	hú 弧	xiáng 翔	quán 权	bīn 缤	niǎo 袅	
18	juān 捐	máng 盲	lǚ 屡	kuàng 眶	zūn 遵	lǒu 搂		
19	rǎo 扰	zhěn 诊	hàn 撼	tà 蹋	xiàn 限			
20	lǚ 吕	làn 滥	lí 厘	shuā 刷				
21	yán 檐	shì 饰	guān 冠	dǎo 捣	xié 谐			
22	xiāng 镶	qiàn 嵌	jùn 骏	biāo 膘	yín 垠	jué 爵	yōu 悠	chù 畜
23	cán 蚕	zhòu 昼	yún 耘	sài 塞	ruò 箬	lì 笠	suō 蓑	

24	pàn 畔	dōu 兜	suì 穗	guǒ 裹	jiáo 嚼	fèi 肺	fǔ 腑	liáo 撩
25	wéi 违	wàng 妄	zhí 执					
26	yāo 邀	zhì 挚	yí 仪	gū 咕	chī 痴	suǒ 锁		
27	bà 罢	huī 徽	lóng 聋	yǎ 哑				
28	yīng 婴	yì 毅	kuāng 筐	bù 怖	zhǒng 肿	zhà 榨	biē 憋	yòu 诱
29	qī 妻	shī 虱	cài 蔡	cǎi 睬	tàng 烫	jì 剂		
30	chén 臣	hūn 婚	juàn 绢	wān 豌	zhǎo 沼	jí 吉	xiáng 祥	
31	xiù 袖	fēn 吩	shù 恕	yā 押	hěn 狠	gān 肝	wǎn 挽	
32	jǔ 矩	lāo 捞	xī 锡	bì 币	chā 叉	méi 霉	chóu 仇	shì 誓

（共200个字）

生 字 表 (二)

1　亭　庭　潭　螺　谙

2　澜　瑕　攀　峦　泰　骆　驼　罗　障
　　兀　绵

3　浙　桐　簇　浓　臀　稍　额　擦　蜿
　　蜒　乳　据　源

5　维　财　属　货　驰　赠　驶　德　惑
　　码　库　捎　橡　拨

7　尊　沃　呈　愈　堪　善　款　例　瘦
　　杰　喉　捶　僵　配

9　幼　滩　侦　嘲　啄　企　愚　蠢　返
　　拦　鸥　帽　吁　彻

11	蝙	蝠	捕	蛾	蚊	避	锐	铠	蝇
	揭	碍	荧						
13	削	喂	哨	挺	斯	甩	踢	枪	防
	鬼	汉	滚	毁	惯				
15	牺	牲	凯	征	阿	姨	济	贡	圣
	驻	罪	恶	健	康				
17	径	畅	磕	绊	瞬	弧	翔	权	缤
19	扰	欲	屈	苗	诊	撼	蹋	限	捣
21	棚	饰	冠	菊	瞧	率	觅	耸	
	搬	巢	谐	眠	辛				
23	蚕	桑	昼	耘	绩	塞	鹭	笠	宣
25	略	辩	奉	违	磅	拴	拖	释	
	萨	妄	执						

27 港 澈 壶 缸 罢 苟 绣 挥 徽
   聋 哑
29 昌 妻 刺 绑 扁 鹊 蔡 眯 肠
   胃 烫 剂 汤
31 焰 驱 袖 败 罚 佩 饶 抗 押
   锁 狼 膝 肝 脏

（共200个字）

后 记

    我们在根据教育部制定的《全日制义务教育语文课程标准（实验稿）》编写这套义务教育课程标准实验教科书时，得到了许多教育界前辈和各学科专家学者的帮助和支持。在本册教科书终于和课程改革实验区的师生见面时，我们特别感谢担任这套教材总顾问的丁石孙、许嘉璐、叶至善、顾明远、吕型伟、梁衡、金冲及、白春礼，感谢担任编写指导委员会主任委员的柳斌和编写指导委员会委员的江蓝生、李吉林、杨焕明、顾泠沅、袁行霈，感谢担任学科顾问的刘国正、李吉林、柯岩、顾明远、蒋仲仁，感谢担任学科编写委员会委员的丁培忠、齐文华、李莉莉、吴立岗、肖复兴、周光旋、周根宝、胡富强、舒镇，并在此感谢对这套教材提出修改意见、提供过帮助和支持的所有专家、学者和教师。

    为了编好这套教材，我们通过多种渠道与收入本教材作品的作者进行了联系，得到了各位作者的大力支持。在此，我们深表谢意。但是，由于一些作者的姓名和地址不详，暂时还无法取得联系。恳请入选作品的作者尽快与我们联系，以便作出妥善处理。

课 程 教 材 研 究 所
小学语文课程教材研究开发中心

义务教育课程标准实验教科书

语文

绿色印刷产品

ISBN 978-7-107-18116-0

9 787107 181160 >

义务教育课程标准实验教科书　语文　四年级　下册

审批号:京发改[2007]1043 号－028　　价格举报电话:12358

定价: 7.05 元